Du CE1

7-8

Menace sur Madagascar

Agnès de Lestrade
écrivain

Pascale Chavanette-Iglésia
enseignante

Illustré par
Paul Beaupère

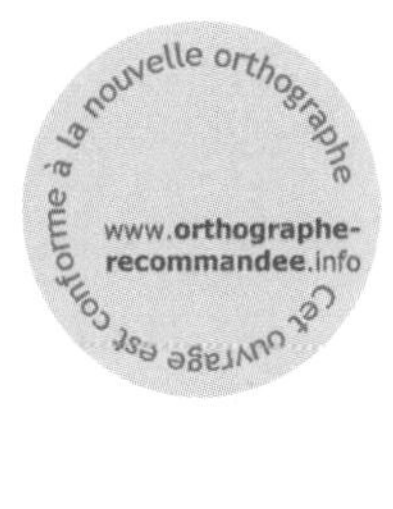

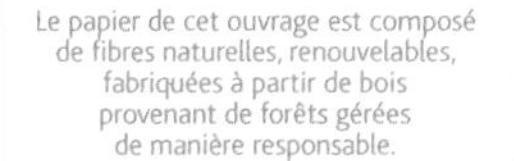

Présentation

→ **Je lis un récit policier entrecoupé d'exercices de :**
compréhension, mathématiques, questionner le monde.

→ **Je résous des exercices**
qui permettent de reconstituer l'histoire.

→ **Je vérifie ma réponse**
- elle est juste → j'accède à la suite de l'histoire ;
- elle est fausse → le corrigé me guide pour refaire l'exercice.

→ **Je consulte le mémo en fin d'ouvrage,**
il m'explique la notion abordée dans l'exercice.

→ **Je regarde la table des matières (p. 110)**
pour connaitre tous les points du programme abordés dans les exercices.

→ **Je note les indices sur la page 109,**
un par chapitre, ils prouvent que l'enquête avance et que l'histoire est bien comprise.

Maquette intérieure : Julie Lannes
Composition : Linéale Production

Carte de Madagascar

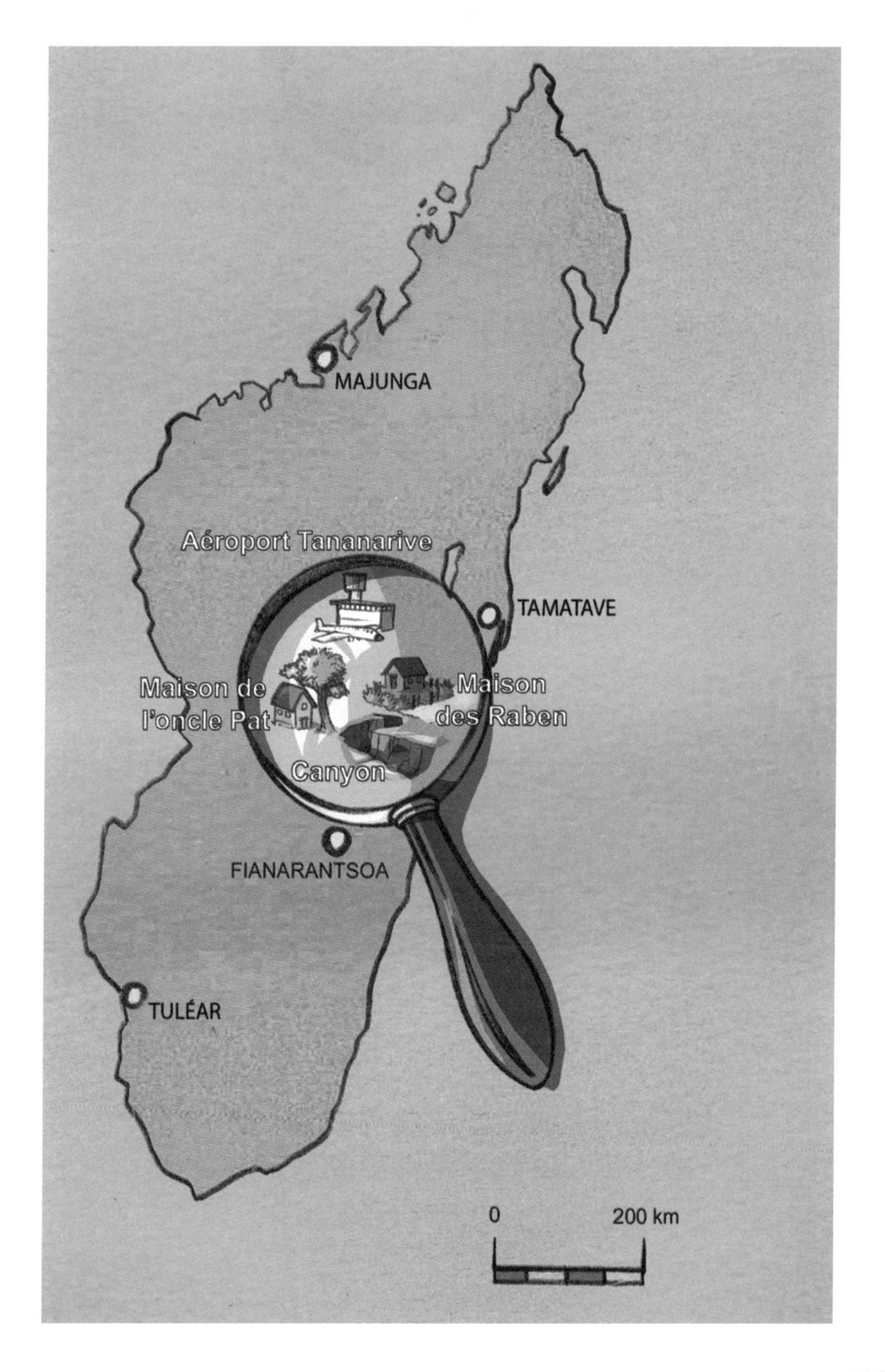

1 L'aventure commence

Zoé vient de fermer sa valise quand sa mère entre dans sa chambre.

– Tu es prête, ma chérie ? Dix heures d'avion c'est long !

Zoé sourit :

– Mais au bout du voyage, Tim m'attend !

Tim est le cousin de Zoé. Comme elle, il a huit ans. Il vit à Madagascar avec ses parents. D'habitude, l'été, c'est lui qui vient en France. Mais cette année, oncle Pat a beaucoup de travail ; il est sur le point de faire une importante découverte.

– Tu as pris ta crème antimoustiques et ton appareil photo ?

– Oui maman !

– Ta casquette pour le soleil et tes chaussures de marche ?

– Oui maman !

– Et ton sifflet pour faire fuir les crocodiles ?

– Très drôle !

– Alors en route !

Depuis la fenêtre de la voiture, Zoé regarde sa maison devenir un point noir sur l'horizon. Bientôt, au lieu d'être entourée d'immeubles, elle se retrouvera au cœur des palmiers et des baobabs. Et elle donnerait n'importe quoi pour être déjà arrivée.

À l'aéroport, sa mère la confie à une hôtesse :

– Je te laisse, ma chérie.

Elle a les larmes aux yeux. Zoé lui caresse la joue.

– Ne t'inquiète pas, maman. Je vous appelle dès que je suis à Madagascar.

Zoé se serre contre sa mère une dernière fois. Puis elle la regarde disparaitre.

– Je m'appelle Joan, dit gentiment l'hôtesse. Je m'occuperai de toi pendant le voyage.

Joan lui offre un petit sac dans lequel Zoé découvre des crayons de couleur, un carnet et un petit livre sur Madagascar. En découvrant la première page, la fillette a un mouvement de recul.

Pourquoi le livre sur Madagascar a-t-il surpris Zoé ?

Sais-tu que Madagascar, aussi surnommée « l'Ile rouge », est en superficie la cinquième ile la plus grande du monde ? Elle se situe dans l'océan Indien et elle est séparée de l'Afrique par le canal du Mozambique. Madagascar est divisée en cinq régions : le Nord, l'Est, l'Ouest, le Sud et les Hautes Terres.

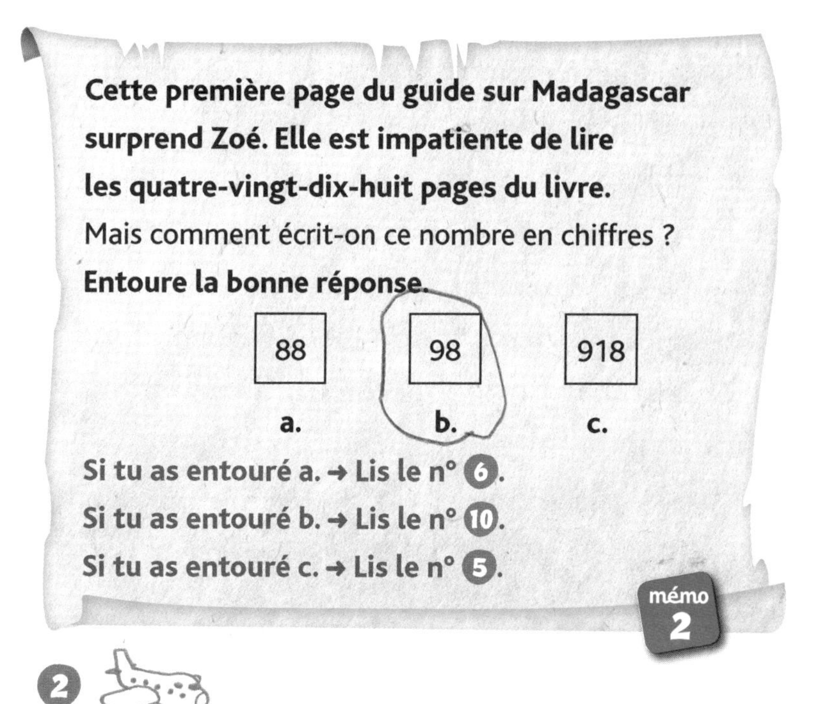

Cette première page du guide sur Madagascar surprend Zoé. Elle est impatiente de lire les quatre-vingt-dix-huit pages du livre.

Mais comment écrit-on ce nombre en chiffres ?

Entoure la bonne réponse.

88	98	918
a.	**b.**	**c.**

Si tu as entouré a. → Lis le n° 6.
Si tu as entouré b. → Lis le n° 10.
Si tu as entouré c. → Lis le n° 5.

mémo 2

2

Faux. Souviens-toi qu'un polygone se trace toujours à la règle. → Refais l'exercice du n° 10.

3 

Attention ! Tu as surement oublié la retenue. → Refais l'exercice du n° 4.

4 

Ça y est ! L'avion décolle… Bercée par le bruit de l'appareil, Zoé finit par s'endormir. À son réveil, elle réalise qu'elle a dormi quatre heures.

– As-tu bien dormi ? demande Joan en posant un plateau sur sa tablette.

Zoé a une faim de loup. Elle se jette sur la tarte au saumon, le bœuf en sauce et les petits gâteaux aux myrtilles. Maintenant, elle a hâte de voir où vit Tim et de visiter le laboratoire de son oncle. Plus tard, Zoé veut être chercheuse, elle aussi. Les plantes et les insectes la passionnent. Elle voudrait faire de la recherche pour découvrir de nouveaux médicaments et soigner les gens. Pour chacun de

ses anniversaires, oncle Pat lui offre une encyclopédie. Zoé passe des heures le nez plongé dans les livres. Elle aime apprendre, comprendre et connaitre ce qui se passe dans les autres pays.

Soudain, un tremblement interrompt ses réflexions. L'avion se met à osciller comme s'il allait piquer du nez. Zoé frémit. Elle n'a pas du tout envie de quitter l'avion en plein ciel ! Surtout que, en bas, dans la mer, il y a des tas de requins affamés.

Comment Zoé va-t-elle chasser de son esprit l'image des requins affamés ?

Zoé pense à tous ces requins surement aussi nombreux que les passagers de l'avion.

Quand elle apprend que le nombre de passagers est le double de 250, elle tremble de peur. Quel est donc le nombre de passagers ?

Colorie la bonne réponse.

500 passagers	400 passagers	125 passagers
a.	**b.**	**c.**

Si tu as colorié a. → Lis le n° 7.

Si tu as colorié b. → Lis le n° 3.

Si tu as colorié c. → Lis le n° 14.

mémo 4

5 

Non. Tu as entouré *neuf-cent-dix-huit*. Dans *quatre-vingt-dix-huit*, tu as uniquement des dizaines et des unités. → Refais l'exercice du n° **1**.

6 

Faux ! Tu as entouré *quatre-vingt-huit*.
→ Recommence l'exercice du n° **1**.

7 

– Nous traversons une zone de turbulences, annonce le steward au micro. Veuillez attacher votre ceinture et redresser votre siège.

Zoé pâlit.

– Ne t'inquiète pas, dit Joan. Ce ne sont que des trous d'air.

Légèrement rassurée, la fillette sort un livre de son sac et se plonge dedans.

Quelques heures plus tard :

– Zoé, nous arrivons, lui dit Joan de son plus beau sourire.

À cet instant, l'avion atterrit sur l'aéroport de Tananarive.

Derrière la vitre, Zoé aperçoit sa tante et Tim qui lui fait de grands gestes. Il a beaucoup grandi et ses cheveux sont plus blonds que la dernière fois.

Zoé se jette dans les bras de sa tante.

– Laisse-moi te regarder ! Tu ressembles à une vraie jeune fille ! s'exclame tante Val.

Tim est timide, tout à coup. Zoé l'attrape par le cou et le secoue :

– Salut cousin ! C'est moi, Zoé, ta cousine préférée !

Tim éclate de rire.

Dehors, Zoé est assaillie par une chaleur sèche ; elle s'engouffre rapidement dans la voiture.

– Direction la maison ! dit tante Val.

– On passe par le chemin des contrebandiers ? demande Tim.

Où se trouve ce mystérieux chemin ?

Pour le savoir, une boussole serait très utile !

À propos, sur une boussole, quelle est la direction opposée au sud ? **Entoure la bonne réponse.**

a. L'est. **b.** L'ouest. **c.** Le nord.

Si tu as choisi a. → Lis le n° 17.

Si tu as choisi b. → Lis le n° 15.

Si tu as choisi c. → Lis le n° 16.

mémo 15

8

Tu t'es trompé(e) ! Le rond est une forme plate et non pas en volume comme un solide.

→ Recommence l'exercice du n° 10.

9

Attention ! Tu as ajouté des rangées avec des dents. Cela ne te donnera pas le nombre total de dents.

→ Recommence l'exercice du n° 13.

10

Un étrange animal la fixe de ses yeux jaunes. En dessous de la photo, il est écrit : « Le maki catta appartient à l'espèce des **lémuriens**. »

« Oh là là, c'est avec ça que vit mon cousin ? »

Dans une lettre, Tim lui a dit qu'il avait un lémurien apprivoisé. Il l'a recueilli et soigné, alors

? Qu'est-ce qu'un lémurien ?

Madagascar abrite plus de 70 espèces de lémuriens et en particulier les makis cattas. Ces lémuriens dressent leur longue queue et diffusent une odeur qui avertit leurs rivaux et permet à tous les membres d'un groupe de rester en contact. Chez la plupart des lémuriens, c'est la femelle qui domine les groupes.

qu'il était encore tout petit. Et depuis, l'animal le suit partout comme un petit chien.

– Tu veux boire quelque chose avant le décollage ? demande Joan.

– Non, merci.

Par le hublot, Zoé aperçoit les bagages sur le chariot. Elle cherche des yeux sa valise et son sac à dos.

Soudain, elle entend un grand bruit.

L'avion vient de démarrer. Le commandant de bord s'adresse aux passagers :

– Je suis votre commandant de bord. Notre avion décollera dans une dizaine de minutes. Le temps est clair et le ciel dégagé. Je vous souhaite un bon voyage.

Ce n'est pas la première fois que Zoé prend l'avion. L'année dernière, elle est partie au Maroc avec ses parents. Mais le voyage était plus court et elle n'était pas toute seule. Finalement, elle n'est pas très rassurée…

Un steward prend le micro pour expliquer comment réagir en cas de problème, comment se servir du masque à oxygène, où trouver le gilet de sauvetage, quelle porte utiliser pour sortir de l'avion…

Zoé aura-t-elle besoin de sortir en urgence de l'avion ?

Pour se rassurer, Zoé regarde à l'extérieur par le hublot, cette petite fenêtre toute ronde.
Au fait, à quelle famille appartient le rond ?
Entoure la bonne réponse.
a. À celle des solides.
b. À celle des polygones.
c. À celle des figures planes.
Si tu as entouré a. → Lis le n° 8.
Si tu as entouré b. → Lis le n° 2.
Si tu as entouré c. → Lis le n° 4.

mémo 8

Bravo ! → Maintenant, va vite au chapitre 2, afin de découvrir un peu mieux Madagascar et ses mystérieuses coutumes...

Faux ! Le requin a des centaines de dents ; donc le nombre total de dents ne peut pas être 46.
→ Refais l'exercice du n° 13.

Pendant ce temps, Tim s'impatiente.

– Viens voir ma chambre ! s'écrie-t-il en entrainant sa cousine.

Soudain, la fillette sent quelque chose lui agripper la jambe.

Zoé pousse un cri.

– Chips ! Viens ici ! ordonne Tim. C'est mon lémurien. Il te dit bonjour !

– J'ai eu la trouille de ma vie ! rit la fillette en caressant Chips. Il est mignon, dis donc !

– Et je lui ai beaucoup parlé de toi.

Tim attrape un paquet sur son bureau.

– Tiens, c'est mon cadeau.

Zoé défait le papier et découvre un collier.

– C'est une **dent de requin**, dit Tim. Ça porte chance.

– Moi aussi, j'ai un cadeau.

Zoé sort de sa valise un maillot de foot.

– C'est le même que Zidane !

Les deux cousins tombent dans les bras l'un de l'autre.

? Pourquoi offre-t-on des dents de requin ?

À Madagascar, les habitants se protègent grâce à des talismans que l'on appelle *ody*. Ces *ody* sont composés de matières diverses comme des morceaux de bois, de la corne de zébu, des dents de requin… Ils sont supposés apporter richesse, pouvoir ou encore réussite.

Qu'est-ce que le collier à dent de requin va apporter à Zoé ?

Sais-tu que de dangereux requins vivent dans les eaux de Madagascar, en particulier sur la côte est de l'ile ? Les baignades y sont d'ailleurs interdites. On peut aussi rencontrer, début septembre, sur la côte ouest, des requins totalement inoffensifs comme les requins baleines.

Les dents de requin sont un porte-bonheur chez les Malgaches. D'ailleurs, certains requins ont plusieurs centaines de dents, disposées sur 4 rangées de 50 dents chacune.

Quelle opération va te permettre de calculer le nombre total de dents de ces requins ?

Entoure la bonne réponse.

4 + 50	50 × 4	50 – 4
a.	**b.**	**c.**

Si tu as entouré a. → Lis le n° 9.

Si tu as entouré b. → Lis le n° 11.

Si tu as entouré c. → Lis le n° 12.

mémo 3

14 

Tu t'es trompé(e) : tu as calculé la moitié de 250 à la place de son double. → Refais l'exercice du n° **4**.

15 

Faux ! L'ouest est l'opposé de l'est.
→ Refais l'exercice du n° **7**.

16 

– Tu n'as pas le sens de l'orientation, mon poussin, s'exclame tante Val. La route des contrebandiers est au nord et nous, nous allons à Ranohira, tout au sud !

La route est longue et caillouteuse. Au bout de trois heures, Zoé aperçoit enfin la maison.

– Bienvenue chez nous ! dit tante Val.

Zoé s'étonne. Elle était sure que son cousin vivait dans une **maison typique**, pas dans cette

? Comment sont les maisons typiques à Madagascar ?

Les matériaux utilisés pour ces maisons sont d'origine végétale : feuilles de palme, bambou, aloès ou sisal, bois des épineux et parfois roseaux. Quand les gens sont plus riches, leurs maisons sont en briques rouges.

grande maison en briques !

Tante Val a perçu son étonnement :

– Ici, peu de gens vivent dans des maisons comme la nôtre. C'est une vraie chance ! Ce soir, tu verras aussi la maison des Raben où nous allons diner. Manga Raben est le collaborateur de ton oncle.

– Et je te présenterai Tadesse, dit Tim. Tadesse Raben est mon meilleur copain !

Tante Val fait visiter la maison à Zoé.

Par la fenêtre du salon, elle désigne le laboratoire, situé au fond du jardin. Zoé écoute, attentivement.

– Ton oncle est très occupé avec son projet sur les criquets. Nous irons lui dire bonjour un peu plus tard.

– Quels criquets ? demande Zoé.

Soudain, tante Val devient très soucieuse :

– Les criquets sont un cauchemar à Madagascar. L'enfer pour les cultures des Malgaches. Ton oncle travaille sur une formule révolutionnaire qui permettra de les éliminer tous.

Zoé regarde sa tante avec des étoiles dans les yeux.

– C'est génial ! Je suis si fière de lui !

Tante Val sourit :

– Moi aussi, ma chérie.

Pourquoi Zoé admire-t-elle autant son oncle ?

Après de fortes pluies, la végétation est très dense, ce qui permet aux criquets de se reproduire en grand nombre. Des essaims comportant jusqu'à 50 milliards d'insectes s'envolent et dévastent les cultures, entrainant la famine pour les habitants.

Zoé admire son oncle car :

- il utilise des produits toxiques.
- il travaille sur un projet révolutionnaire.
- il lui a offert un livre sur les criquets.

Recopie ta réponse :

il travaille sur un projet révolutionna

C'est ton PREMIER INDICE. N'oublie pas de le noter sur ta page-indices (page 109).

Maintenant → va au n° 13.

Faux ! L'est est l'opposé de l'ouest.

→ Recommence l'exercice du n° 7.

Première soirée à Madagascar

– Les enfants, vous êtes prêts ? On s'en va ! crie oncle Pat. Madame Raben nous attend vers 20 h, il est déjà 20 h 15.

– Zoé, prends un pull ! Les soirées sont fraiches à Madagascar, dit tante Val.

La maison des Raben est située à la sortie du village, juste à l'entrée de la savane.

– Un quart d'heure de marche et nous y sommes. Ça ira, ma Zoé ? demande oncle Pat. La journée a été longue, pour toi.

Mais Zoé est si heureuse qu'elle ne ressent aucune fatigue.

Soudain, une horrible bête surgit au milieu du chemin.

L'animal ressemble à un gros lézard multicolore

et il semble faire des pompes avec ses pattes.

– C'est un gecko, dit tante Val. Ces lézards sont impressionnants au début, mais complètement inoffensifs. Tu en verras souvent dans la maison, surtout le soir.

– On est arrivé ! crie Tim cinq minutes plus tard.

La maison des Raben est en briques rouges avec une terrasse.

– Donc, ils sont riches ! dit Zoé.

Oncle Pat éclate de rire :

– Quelle nièce intelligente ! Ce sont mes encyclopédies qui t'ont rendue si brillante ?

– Et l'hérédité, sans doute ! ajoute Zoé.

Madame Raben les accueille sur le seuil. Elle porte le lamba*, l'habit traditionnel. Le sien est orné de grandes fleurs rouges et jaunes.

– Bonjour Zoé, et bienvenue chez nous, dit gentiment madame Raben. As-tu fait bon voyage ?

– Oui madame, merci beaucoup.

Zoé est intimidée. Elle ne sait pas comment se comporter ; elle a peur de commettre une gaffe. Avant de quitter la France, son père lui a parlé des *fady*.

---

* Costume traditionnel de Madagascar, porté par les hommes ou par les femmes.

Zoé va-t-elle transgresser un *fady* ?

Sais-tu que les *fady* sont des tabous et des interdits dont le but est de ne pas irriter les morts ? Le *fady* peut, par exemple, interdire de siffler sur une plage près d'un village ou de marcher devant un arbre sacré.

Zoé a peur de ne pas respecter la coutume des *fady*.
Et si l'arbre du voyageur devant la maison était sacré ?
Observe cet arbre dans le quadrillage et repasse sur son axe de symétrie.

Si tu penses avoir réussi → va au n° 10.

mémo 10

2 

Bravo ! → Maintenant, va vite au chapitre **3** afin de frissonner dans la savane avec l'intrépide Zoé.

3 

David embrasse Zoé.

– Alors, voilà enfin la fameuse cousine ! dit-il en faisant un clin d'œil en direction de Tim. Tu dois être heureux comme un roi. Et tu restes combien de temps, jeune fille ?

– Trois semaines, dit Zoé.

– As-tu visité le laboratoire ?

– Pas encore, dit Zoé. Mais j'ai hâte !

Puis elle ajoute :

– Plus tard, je serai chercheuse moi aussi.

– Alors, viens demain, je te parlerai de nos petits secrets, dit David d'un air mystérieux.

Oncle Pat lui donne une bourrade :

– Ah bon... Tu veux livrer tous nos petits secrets, David ? Je te rappelle qu'il y a beaucoup d'intérêts en jeu ! Cela dit, on peut faire confiance à sa famille…

– Pas de panique, Pat, je plaisantais. Tu m'as l'air bien nerveux…

Pourquoi oncle Pat est-il si nerveux ?

Oncle Pat est nerveux parce que ses secrets sont incroyablement précieux ! Il les cache :

- dans son laboratoire.
- dans une encyclopédie.
- aux États-Unis.

Recopie ta réponse :

C'est ton DEUXIÈME INDICE. N'oublie pas de le noter sur ta page-indices (page 109).

Maintenant → va au n° 7.

4 

La laine empêche le courant de passer : elle n'est donc pas un conducteur. → Refais l'exercice du n° 7.

5 

Un homme apparait alors.

– Zoé, je te présente Manga Raben, mon collaborateur, dit oncle Pat.

– Ne restez pas là ! Entrez donc. Les sambos n'attendent que vous. Ils sont tout chauds.

Tim se précipite à l'intérieur de la maison.

Devant les sambos, il a bien du mal à rester poli. Il adore ces beignets !

– Tim !

Un beau garçon approche soudainement.

– Tadesse !

Les deux garçons se tapent dans les mains. Ils se connaissent et jouent ensemble depuis qu'ils sont tout petits.

– Voici Zoé, dit Tim.

Zoé baisse la tête. Tadesse la fixe de ses beaux yeux noirs. La fillette sent que son cœur bat un peu plus vite.

– Ne sois pas timide, cousine ! Tadesse est mon meilleur ami ! Donc il est aussi ton ami.

Zoé sourit. Tim a l'art et la manière de la mettre à l'aise.

– Venez manger quelque chose avec nous, les enfants, dit madame Raben.

Tadesse a quatre sœurs, toutes très bavardes. Elles questionnent Zoé sur sa vie en France, lui demandent si elle a un amoureux, si elle travaille bien en classe. Zoé se sent bien au milieu de toutes ces filles.

– C'est délicieux, madame Raben, dit Zoé en mordant dans un sambo.

– As-tu gouté aussi le jus de noix de coco ?

Soudain, on frappe à la porte.

Un homme entre sans y être invité. Il est grand, blond et son regard bleu impressionne la fillette.

– David ! Enfin, te voilà ! dit Manga Raben.

Manga Raben se lève et lui serre chaleureusement la main. Oncle Pat le salue de la tête.

– Qui est-ce ? chuchote Zoé à l'oreille de son cousin.

– C'est l'autre collaborateur de papa. David et papa ont fait leurs études ensemble aux États-Unis. Papa l'a fait venir à Madagascar pour travailler sur le projet « Criquets ».

Pourquoi David arrive-t-il si tard à ce délicieux repas ?

L'élément de base de la cuisine malgache est le riz. Les Malgaches compteraient parmi les plus gros mangeurs de riz de la planète ! Le riz accompagne tous les plats typiques comme le romazava. Il sert aussi comme base de dessert pour la fabrication de galettes comme les mosakiky ou les mokary.

Cet invité au repas a 45 minutes de retard.
Observe ces trois pendules. Quelle pendule indique 45 minutes ?
Entoure-la.

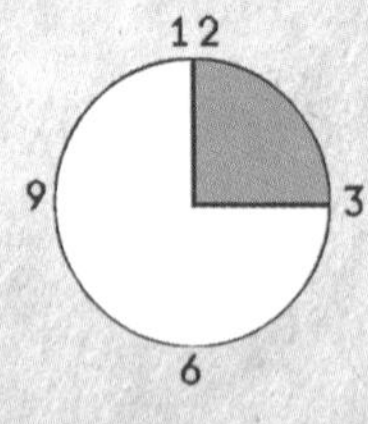

a.

12
9
3
6

b.

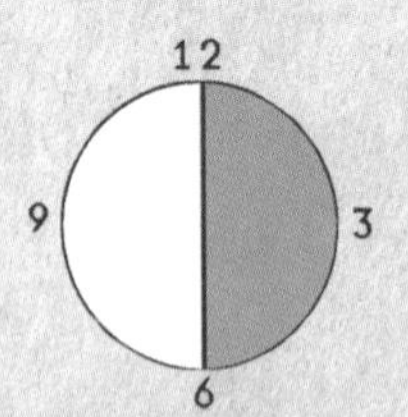

c.

Si tu as entouré a. → Lis le n° 8.
Si tu as entouré b. → Lis le n° 3.
Si tu as entouré c. → Lis le n° 9.

mémo 12

Faux ! Le plastique n'est pas conducteur, au contraire, il est isolant, donc il ne laisse pas passer le courant.

→ Recommence l'exercice du n° 7.

– Mettons-nous à table, propose madame Raben. Zoé, j'ai préparé un romazava* en ton honneur. C'est du zébu** avec des feuilles bouillies.

Les yeux de Zoé s'écarquillent.

– Alors bon appétit à tous ! dit Manga Raben.

En entendant les mots « feuilles bouillies », Zoé a senti son estomac se soulever. Mais finalement, elle trouve que c'est délicieux et elle se laisse même resservir.

– Vous pouvez sortir de table, les enfants ! dit madame Raben. Et n'oubliez pas de prendre des beignets de banane à la cuisine. Ce sont les meilleurs du pays !

– Prétentieuse ! la taquine son mari.

Tadesse et Tim entrainent la fillette dehors. Le jardin est sombre. Les arbres se balancent dans

---

* Plat national composé de ragout de viande de zébu et de brèdes (feuilles bouillies).

** Grand bovidé domestique, dit « bœuf à bosse ».

le vent. Soudain, entre les feuillages, Zoé croit apercevoir quelqu'un qui la regarde.

– N'aie pas peur ! dit Tadesse, c'est un maki brun !

– Un quoi ? Un maki ? Ça me rassure ! rétorque Zoé ironique, qui n'a pas la moindre idée de ce que peut être un maki.

– Il faut t'habituer, lui répond Tim. À Madagascar, tu croiseras toutes sortes d'animaux sauvages. Et sauvage ne signifie pas qu'ils te veulent du mal.

– Message reçu ! dit Zoé.

Machinalement, elle porte la main à son cou. La dent de requin que lui a donnée son cousin lui portera chance. Et elle sera si courageuse que

Tadesse et Tim cesseront de la prendre pour une pauvre petite Parisienne ! Elle va les épater, c'est promis.

Pourtant, pour la première fois depuis son départ, ses parents lui manquent. Elle aimerait qu'ils soient là, avec elle, pour découvrir les geckos, les makis et même les feuilles bouillies.

– Allez, viens, dit Tim en lui prenant la main. On va te montrer notre grand canyon. Tadesse, allume ta lampe de poche !

La lampe de poche sera-t-elle le seul accessoire nécessaire aux enfants ?

Pour leur balade dans le canyon, Tadesse a tout prévu et surtout sa lampe de poche.

Pour bien fonctionner, la lampe a besoin d'une pile, d'une ampoule et de fils conducteurs. Mais en quelle matière sont les fils conducteurs ?

Entoure la bonne réponse.

a. En plastique. **b.** En cuivre. **c.** En laine.

Si tu as entouré a. → Lis le n° 6.
Si tu as entouré b. → Lis le n° 2.
Si tu as entouré c. → Lis le n° 4.

mémo 14

8 

Faux ! Cette pendule indique 15 minutes, soit un quart d'heure.

→ Refais l'exercice du n° 5.

9 

Tu t'es trompé(e) ! Cette pendule indique 30 minutes, soit une demi-heure.

→ Recommence l'exercice du n° 5.

10 

Voici la bonne réponse :

Axe de symétrie

↓

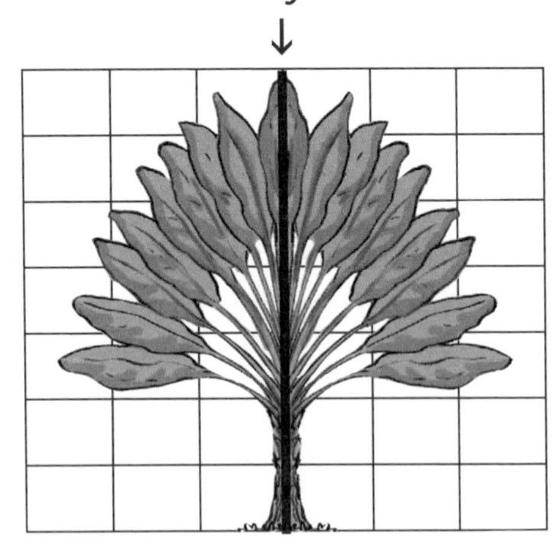

Maintenant → lis le n° 5.

Le long du canyon

Les garçons partent en courant en direction de la savane. La nuit est noire et Zoé a du mal à les suivre. Heureusement que le petit faisceau de la lampe de poche éclaire leurs pas. Soudain, Zoé s'arrête pour reprendre sa respiration.

Elle s'assied au pied d'un arbre. En levant la tête pour regarder les étoiles, elle aperçoit de grandes branches. « Comme cet arbre est étrange ! pense-t-elle. Ses branches ressemblent à des racines. Je vais le prendre en photo. »

À tâtons, elle cherche son petit appareil dans son sac à dos. Puis elle allume le flash pour prendre la photo. Tout à coup, une voix grave déchire le silence.

– *Fady* ! *Fady* ! crie la voix.

L'homme qui parle ressemble à un géant tombé

de nulle part. Il s'approche de Zoé.

– C'est ma cousine ! hurle Tim, revenu alors sur ses pas. Excusez-la. Elle ne savait pas que cet arbre est sacré.

– D'accord, dit l'homme d'une voix à peine plus douce.

– Elle vient d'arriver de France, continue Tim, essoufflé.

Puis, se tournant vers Zoé, il explique :

– Cet arbre est sacré. Il abrite les ancêtres du village. En le photographiant, tu commets un sacrilège. Allez, donne-moi la main et ne me lâche plus !

Les deux enfants saluent l'homme et repartent dans la nuit.

– Enfin, vous voilà ! dit Tadesse. Je vous attendais pour descendre.

Le canyon est une faille dans la roche. Il longe la rivière. C'est l'endroit préféré des deux amis.

– Ce n'est pas dangereux ? demande Zoé en posant prudemment le pied sur une pierre.

– Non, dit Tadesse. Si on tombe, on risque juste d'être dévorés par les crocodiles !

Y a-t-il vraiment des crocodiles dans la rivière ?

Sais-tu que, à Madagascar, on trouve des crocodiles ? Ils appartiennent à l'espèce présente sur le continent africain : le crocodile du Nil.

On peut en voir sur quelques fleuves de l'ile comme la Tsiribihina ou le Manambolo. Certains spécimens de cette espèce de gros reptiles sont même protégés par les *fady*.

Zoé redoute ces animaux car elle a lu que les crocodiles dévorent uniquement la chair d'antilopes, de zébus... et peut-être même celle des hommes.

Au fait, à quelle famille appartiennent ces reptiles ?

Entoure la bonne réponse.

a. Les carnivores.

b. Les herbivores.

c. Les omnivores.

Si tu as entouré a. → Lis le n° 7.

Si tu as entouré b. → Lis le n° 8.

Si tu as entouré c. → Lis le n° 12.

mémo 17

2

Faux ! Tu as dû oublier une flèche dans ton déplacement. → Recommence l'exercice du n° 7.

3

Tu t'es trompé(e) ! N'oublie pas la fin du chemin. → Refais l'exercice du n° 7.

4

Faux ! Tu as surement oublié une masse de 50 g. → Recommence l'exercice du n° 13.

5 

La pièce est pleine de cages en verre : un vrai vivarium. À l'intérieur : des singes, des araignées, des lézards, des rats, des scorpions… Un authentique musée des horreurs… sauf que les animaux sont bien vivants !

– N'aie pas peur, ma chérie, dit oncle Pat. Tu

n'as rien à craindre. Les cages sont bien fermées. Veux-tu que je te montre le microscope ? propose oncle Pat.

Zoé fait signe que oui.

Oncle Pat ouvre alors une petite porte qui donne sur un bureau.

– Mais entre, ne sois pas effrayée !

Soudain, une ombre se faufile entre les chaises.

– Zoé, je te présente Nora. C'est un boa apprivoisé. Nous le laissons en liberté. Nora surveille le laboratoire, un peu comme un chien de garde. Tu sais, tant que la formule n'est pas publiée, quelqu'un peut chercher à nous la voler. Ou pire, à la faire disparaitre. C'est aussi pour ça que je cache un double du dossier dans ce coffre.

– La formule ? s'étonne Zoé. Mais quelle formule, oncle Pat ? Je ne comprends pas…

Oncle Pat se gratte la gorge avant de murmurer :

– Écoute Zoé, normalement c'est quelque chose dont je ne parle pas. Mais puisque tu veux être chercheuse plus tard, il vaut mieux que tu t'entraines dès maintenant à garder un secret. Tu as raison de vouloir faire ce métier. C'est un métier qui aide les gens à vivre mieux. J'en tire beaucoup de joie et de fierté. Grâce à nos recherches, la vie de milliers d'individus est transformée. Alors ma Zoé, es-tu capable de garder un secret ?

Zoé hoche la tête.

– Hé bien voilà : je travaille sur un projet brulant qui pourrait bouleverser la vie de Madagascar.

Puis il attrape un énorme livre qu'il ouvre à la page centrale.

– Regarde ! dit-il, les yeux fiévreux. Cet animal est un monstre !

Zoé a un mouvement de recul. La bestiole est marron avec de gros yeux noirs. Et elle semble la fixer.

Quel est cet animal si curieux ?

Oncle Pat a trouvé ce drôle d'animal à la page 957 de son encyclopédie. Dans le nombre 957, que représentent les chiffres 9, 5 et 7 ?
Entoure la bonne réponse.

a. 9 centaines, 5 dizaines et 7 unités.
b. 9 dizaines, 5 centaines et 7 unités.
c. 9 unités, 5 dizaines et 7 centaines.

Si tu as entouré a. → Lis le n° 13.
Si tu as entouré b. → Lis le n° 9.
Si tu as entouré c. → Lis le n° 11.

mémo 1

Attention, il y a aussi une masse de 1 kg à ajouter.

→ Recommence l'exercice du n° 13.

– C'est une blague ? bredouille Zoé.

– Oui et non, dit Tadesse. À Madagascar, on trouve des crocodiles, mais plus au nord. Normalement, ici, il n'y en a plus depuis longtemps.

– Donne-moi la main, dit Tim. La pirogue n'est pas très stable.

– Je veux bien, dit Zoé en tremblant.

La rivière est calme. Les bambous se reflètent dans l'eau. Zoé se dit finalement qu'elle a beaucoup de chance d'être là.

– Voici notre cachette, dit Tim en accostant sur une petite plage de cailloux.

Zoé suit les deux amis à l'intérieur d'une grotte.

– Tu veux un gâteau au coco ? demande Tadesse en glissant sa main sous une pierre.

Et il sort un paquet de biscuits.

– Dites donc, vous êtes bien organisés ! dit Zoé en riant.

À cet instant, on entend un hurlement dans la nuit.

– Où êtes-vous ? crie la voix.

– C'est David ! dit Tim. Il faut rentrer !

– Il nous a suivis ou quoi ? demande Zoé étonnée.

– En tout cas, là, on dirait qu'il vient nous chercher. Et il vaut mieux ne pas le faire attendre.

– Pourquoi ? demande Zoé.

– Parce qu'il se met très vite en colère. Et ses colères sont terribles !

En remontant en direction de la maison, Zoé frissonne. Après avoir chaleureusement remercié la famille Raben pour son accueil, oncle Pat, tante Val, Tim et Zoé prennent le chemin du retour.

De retour à la maison, la fillette ne met pas longtemps à s'endormir. Ses rêves sont peuplés de crocodiles et de makis aux yeux jaunes...

À son réveil, Zoé constate que son cousin n'est plus dans son lit. D'un bond, elle se lève et court à la cuisine.

– Tu as bien dormi, ma chérie ? demande tante Val.

– Comme un bébé ! Mais quelle heure est-il ?

– Midi.

– Déjà ! Et où est Tim ?

– À son cours de judo. Il ne va pas tarder. Mais ton oncle t'attend pour te faire visiter son laboratoire.

Après un bon bol de chocolat et un brin de toilette, Zoé est enfin prête.

Elle traverse le grand jardin pour se rendre au laboratoire. En entrant, ce qu'elle voit ne ressemble pas du tout à ce qu'elle imaginait.

Pourquoi Zoé est-elle si surprise en entrant dans le laboratoire ?

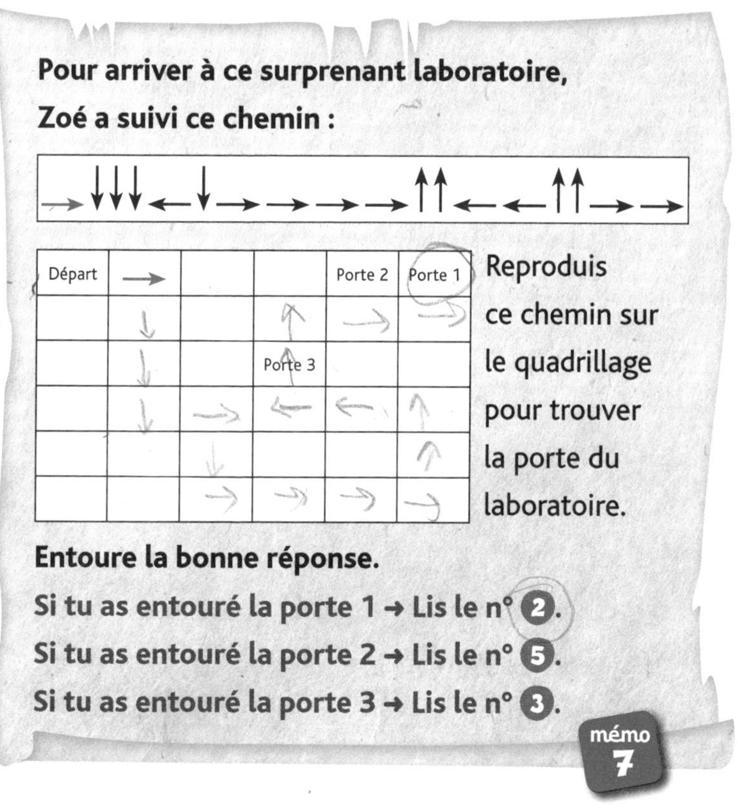

Pour arriver à ce surprenant laboratoire,
Zoé a suivi ce chemin :

→ ↓↓↓ ← ↓ → → → → ↑↑ ← ← ↑↑ → →

Départ	→			Porte 2	Porte 1
			Porte 3		

Reproduis ce chemin sur le quadrillage pour trouver la porte du laboratoire.

Entoure la bonne réponse.

Si tu as entouré la porte 1 → Lis le n° 2.
Si tu as entouré la porte 2 → Lis le n° 5.
Si tu as entouré la porte 3 → Lis le n° 3.

mémo 7

Faux ! Les herbivores ne mangent que des végétaux.

→ Recommence l'exercice du n° 1.

Tu t'es trompé(e) ! Tu confonds le chiffre des centaines avec celui des dizaines.

→ Refais l'exercice du n° 5.

10 

– Le dossier a disparu ! Je l'avais mis là et il n'y est plus !

La voix d'oncle Pat tremble ; son visage reflète un mélange de rage et d'inquiétude.

Zoé se demande si elle doit prévenir sa tante. Elle n'ose plus bouger.

Oncle Pat a mis sa tête dans ses mains.

– Mais qu'est-ce qui se passe ? Quelqu'un aurait-il pris le dossier ? Qui pouvait connaitre cette cachette ?

– Oncle Pat… risque Zoé, as-tu une copie de ton dossier ailleurs ?

– Oui heureusement, j'ai un dossier dans mon ordinateur avec un mot de passe pour y accéder. Mais tu vois, ce qui m'inquiète, c'est que quelqu'un nous ait repérés et veuille saboter nos recherches, détruire notre travail. Et s'il réussissait, il se pourrait bien que le projet « Criquets » ne voie jamais le jour. Il va falloir être prudent, très prudent !

À cet instant, la porte s'ouvre brutalement.

C'est David. Il lâche le dossier sur la table en déclarant :

– Je te l'ai emprunté un soir où tu n'étais pas là.

J'en avais besoin pour travailler.

– Comment ça ? Mais tu n'avais pas le droit ! crie oncle Pat, en colère et soulagé à la fois.

À cet instant, ils entendent tante Val crier depuis la terrasse de la maison :

– À table !

Oncle Pat, furieux, rejoint la terrasse, sans un mot.

David se gratte la gorge :

– Pat, je te présente mes excuses… pour le dossier, je veux dire. Mais j'en avais vraiment besoin pour avancer. J'avais une intuition et je voulais la vérifier. Et puis, en tant que collaborateur, j'estime être en droit de tout savoir sur l'avancée des recherches. On est une équipe ou pas ?

Oncle Pat ne répond rien. Ses yeux lancent des éclairs. Pour changer de sujet, David sort un cadeau qu'il donne à Tim.

Tim ouvre la boite et pousse un cri de joie.

– Un caméléon !

L'animal est effrayé. Ses yeux tournent dans tous les sens.

– Je vais l'appeler Vertèbre ! dit Tim.

– Tu parles d'un nom ! rit Zoé.

Chips saute autour de Tim et du caméléon en criant.

– Ne sois pas jaloux, Chips. C'est toi mon préféré pour la vie !

Soudain, le caméléon déplie sa langue.

Que va attraper le caméléon ?

Incroyable ! On rencontre à Madagascar les deux tiers des caméléons du monde.

L'espèce la plus répandue est celle du caméléon panthère.

Le caméléon a une curieuse particularité : il peut changer la couleur de sa peau. Il peut aussi, grâce à sa longue langue gluante, attraper sa proie.

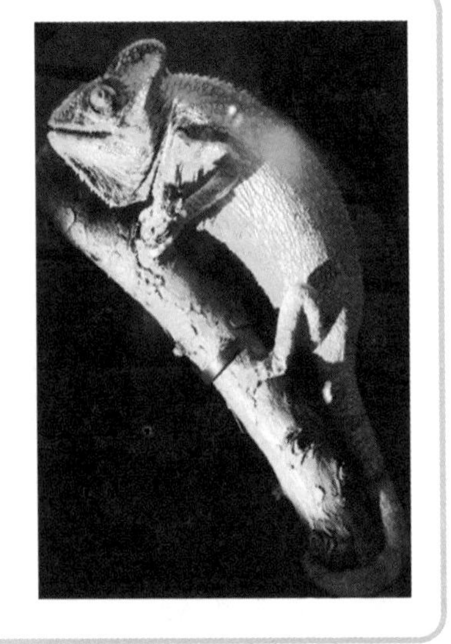

Le caméléon est un animal très étonnant : il a par exemple une longue langue qui lui permet de capturer des insectes.

Quelle est son autre particularité ?

- Ses yeux peuvent bouger dans tous les sens.
- Il est invertébré.
- Il est facile à repérer.

Recopie ta réponse :

C'est ton TROISIÈME INDICE. N'oublie pas de le noter sur ta page-indices (page 109).

Maintenant → va au chapitre 4 et partage cette trépidante aventure avec Zoé.

11 

Faux ! Le chiffre des unités est celui qui se trouve le plus à droite dans 957.

→ Retourne au n° 5 pour refaire l'exercice.

12 

Tu t'es trompé(e) ! Les omnivores se nourrissent de viande, mais aussi de végétaux.

→ Recommence l'exercice du n° 1.

– Ce monstre est un criquet. Et figure-toi qu'en réalité il n'est pas plus gros que mon pouce, poursuit oncle Pat. Pourtant, il détruit tout sur son passage. Il dévore les plantations et les récoltes. Il est sans pitié. À cause de lui, les paysans perdent leurs cultures et sont menacés de famine. Alors il fallait trouver d'urgence un moyen de l'éliminer. Jusque-là, on employait une technique criminelle pour la nature…

Zoé est suspendue à ses lèvres. Oncle Pat poursuit :

– Les pesticides !

Puis il se lève et arpente* le laboratoire, furieux :

– Grave erreur ! Car les pesticides détruisent la faune et la flore ! Ils sont presque pires que les criquets ! Vois-tu, c'est là que les chercheurs comme moi ont un rôle à jouer, petite Zoé.

Il s'approche de sa nièce et lui chuchote à l'oreille :

– Et je viens juste de trouver enfin la solution.

Zoé retient son souffle. Pour un peu, elle se croirait dans un film policier.

– Il s'agit d'un champignon microscopique capable de tuer ces sales insectes. Pulvérisé par avion, il se logera dans le corps du criquet et le tuera à petit feu. Une fois les criquets éliminés par des moyens naturels et non par des pesticides agressifs, les paysans malgaches pourront semer, planter et cultiver en toute quiétude**. Ils pourront nourrir convenablement leur famille grâce au travail de la terre. Et la Terre ne sera plus empoisonnée, comme elle l'a été jusqu'à présent.

---

* Marche de long en large.

** Tranquillité.

C'est important, tu sais, la santé de notre Terre. C'est ce que nous vous léguerons à Tim et à toi. C'est là que nous vivons, que vous vivrez et que vivront vos enfants. Que deviendrons-nous si nous détruisons notre Terre ?

Zoé écoute, fascinée.

Oncle Pat attrape alors une petite clé, dissimulée au fond d'un tiroir. Il écarte son bureau et dévisse un panneau en bois, dans le mur.

– J'ai caché le dossier ici, dans mon coffre-fort. Si la société Nova, l'entreprise qui vend des pesticides, découvrait mon projet, elle n'aurait qu'une envie : le détruire ! Jusqu'à présent, les criquets ont été une aubaine* pour eux. Ils gagnent

* Chance.

beaucoup d'argent en vendant leurs produits toxiques aux paysans qui n'ont pas le choix. Grâce au projet « Criquets », ces paysans pourront enfin faire entendre leur voix !

Oncle Pat ouvre ensuite la porte du coffre et déclare « Et voilà ! » puis il plonge sa main à l'intérieur. Mais là, il pousse un cri.

Que découvre oncle Pat dans le coffre ?

Ce coffre doit protéger le dossier du projet « Criquets ». Mais combien pèse ce dossier si important ?

Observe la balance et entoure la réponse.

a. 1 kg 598 g **b.** 648 g **c.** 1 kg 648 g

Si tu as entouré a. → Lis le n° 4.
Si tu as entouré b. → Lis le n° 6.
Si tu as entouré c. → Lis le n° 10.

mémo 13

Une lumière dans la nuit

1 

Le caméléon a repéré une mouche et il est en train de s'en régaler. Subitement, oncle Pat reprend de plus belle :

– David, tu n'avais pas à ouvrir ce coffre sans ma permission. J'ai eu une peur bleue quand j'ai vu que le dossier avait disparu. Imagine si on était cambriolé maintenant que l'on est dans la dernière ligne droite ?

David baisse la tête. Oncle Pat se radoucit.

– Avec un projet pareil, continue-t-il, je peux même avoir le prix Nobel !

Il éclate de rire :

– Ou la décoration du Mérite agricole ! Tiens, je serais beau avec une décoration, non ?

David sourit :

– Et elle serait bien méritée ! Tu as toujours été le meilleur, Pat. À l'université déjà, les profs disaient que tu étais le plus brillant d'entre nous. Combatif, audacieux et créatif : les trois qualités d'un bon chercheur.

Oncle Pat rougit devant tant de compliments. Puis il ajoute :

– Et je suis très bien entouré ! Manga et toi, vous êtes de précieux collaborateurs.

– Alors, on fait la paix ? sourit David. Et allez, pour me faire pardonner, je t'offre même mon journal du jour.

Zoé observe la scène, médusée. David sort alors un quotidien de son sac.

– Ah ah ah ! rit oncle Pat. Il n'y a que toi pour apprécier ce journal… *L'Écho-Logis* ! N'importe quoi ! Quand on pense que tu lis ça tous les jours !

Plus tard dans la soirée, Zoé s'étire et bâille bruyamment :

– Je crois que je suis fatiguée, conclut-elle.

– C'est normal, ma chérie, dit tante Val. C'est à cause du décalage horaire.

Dans sa chambre, Zoé attrape son album photos. Puis elle s'installe confortablement sur son lit pour regarder un cliché de ses parents. Elle n'aurait pas imaginé qu'ils lui manqueraient autant. Tout à l'heure, quand oncle Pat et David se sont disputés, elle aurait voulu être chez elle, en France. Elle a besoin de la tendresse de ses parents. Même si elle n'est plus un bébé. « Mais quand je rentrerai, j'aurai tant de choses à leur raconter ! » pense la fillette en fermant ses yeux tout doucement.

Pourtant, au milieu de la nuit, Zoé est réveillée en sursaut. Elle sent une présence dans la pièce. Est-ce qu'elle a fait un cauchemar ou est-ce qu'il y a vraiment quelqu'un ? Soudain, une main se pose sur sa tête.

Mais à qui appartient cette main ?

Réfléchis... Un de ses doigts mesure 6 cm.

D'ailleurs, quel est parmi les segments ci-dessous celui qui mesure 6 centimètres ? **Entoure-le.**

a. ├──────────┤

b. ├────────────┤

c. ├────────┤

Si tu as entouré a. → Lis le n° 4.

Si tu as entouré b. → Lis le n° 6.

Si tu as entouré c. → Lis le n° 5.

mémo 11

2 

Le chemin est 154 – 158 – 162 – 166 – 170 – 174 – 178 – 182 – 186 – 190 – 194. → Va au n° 3.

3 

David prend maintenant le chemin qui mène à la savane. Zoé reconnait la direction, empruntée l'autre jour pour se rendre chez les Raben. Elle décide de suivre David. S'il a quelque chose à cacher, elle avertira immédiatement son oncle. Zoé se sent soudain l'âme d'un détective. Elle pense aux beaux yeux noirs de Tadesse et à la dent de requin, et cela lui donne du courage.

David marche vite. Zoé ne le lâche pas, tout en se tenant à bonne distance. Sur la route, elle croise un gecko, mais elle n'a plus peur. Les lémuriens, hurlant dans les arbres, ne l'effraient pas non plus.

À un moment, David bifurque. « C'est la route du canyon », réalise alors Zoé. David amorce la descente. Zoé entend les pierres dégringoler sous ses pieds. La fillette décide de lui laisser un peu d'avance. De toute façon, elle a l'intuition qu'il rejoint la grotte.

En bas, la rivière est agitée. Zoé aperçoit la pirogue de David filer entre les rochers. Il pagaie bien en direction de la grotte. La pirogue de Tim et de Tadesse est attachée à un arbre par une grosse corde. Zoé a bien du mal à défaire le nœud. Elle réussit pourtant à la détacher. Maintenant, il ne lui reste plus qu'à grimper dedans, sans tomber à l'eau. À cet instant, Zoé ressent une douleur vive au mollet.

C'est une énorme araignée, noire et velue, trois fois plus grosse que celles que l'on trouve en France. Et cette énorme araignée vient de la mordre ! Zoé se retient de crier. Si David l'entend, elle est fichue. Elle remue la jambe jusqu'à ce que l'araignée lâche prise. Elle finit par grimper dans la pirogue, sans encombre. Et la voilà qui pagaie en pleine nuit au milieu du courant. Malgré la douleur encore vive que la morsure a laissée dans son mollet, ce n'est pas aussi difficile qu'elle l'imaginait. Zoé donne un coup de pagaie de temps en temps pour garder le cap. Bientôt, elle aperçoit la grotte. Et la pirogue de David est juste en face.

« Je vais m'arrêter avant, pour qu'il ne me repère pas. Et je finirai à pied », se dit Zoé. Elle accoste au milieu des hautes herbes. À peine est-elle descendue qu'un serpent surgit entre les herbes.

Que va faire Zoé face au serpent ?

Souviens-toi que, à Madagascar, on rencontre trois des quatre espèces de boas au monde. Ces boas ne présentent aucun danger pour l'homme bien qu'ils soient très impressionnants. On trouve le boa *mandrita*, le boa *madagascariensis* et le boa *dumerilii*. C'est en Amérique du Sud que l'on rencontre la quatrième espèce : le boa *constrictor*.

Zoé ne doit pas perdre son sang-froid devant cet animal. Parmi les animaux ci-dessous, lequel n'est pas un reptile ?

- L'araignée.
- Le caméléon.
- Le boa.

Recopie ta réponse :

C'est ton QUATRIÈME INDICE. N'oublie pas de le noter sur ta page-indices (page 109).

Maintenant → va au chapitre 5 pour savoir comment Zoé va se sortir de cette dangereuse situation...

4

Attention, place bien le 0 de ta règle sur le premier trait.

→ Recommence l'exercice du n° 1.

5

Faux ! Place bien le 0 de la règle et regarde les graduations.

→ Refais l'exercice du n° 1.

6 

Ce n'est que Chips ! Ce voyou a réussi à entrer dans la chambre. Peut-être que Tim avait mal fermé la porte ? Zoé se lève pour le faire sortir. C'est alors que, par la fenêtre, elle aperçoit une lumière qui brille dans la nuit. C'est le laboratoire. Pourquoi est-il éclairé ? Qui peut bien travailler aussi tard ? La fillette se lève. Elle serre dans sa main la dent de requin accrochée à son cou. Puis elle décide d'aller faire un tour dehors, afin d'en apprendre un peu plus. Elle attrape son petit sac et la lampe de poche posée sur le bureau. Puis, elle sort de la chambre sur la pointe des pieds. Elle s'approche du laboratoire à pas de loup. Inutile de se faire remarquer. Oncle Pat serait surement fâché de la voir debout à cette heure-ci. Elle frissonne. Elle a enfilé ses chaussures, mais elle a oublié de mettre un pull. Ses yeux s'habituent peu à peu à la pénombre. Elle avance prudemment. Pourtant, soudain, elle trébuche. À tâtons, la fillette tente de reconnaitre l'objet qu'elle a heurté. C'est une simple raquette de badminton ! Rassurée, elle poursuit son chemin. Par la fenêtre du laboratoire, Zoé aperçoit une silhouette penchée sur un aquarium. Elle reconnait aussitôt la chevelure blonde de David. Qu'est-ce qu'il fait là ? Sur une étagère, il attrape un flacon vide et, avec une pincette, il y glisse une bête qu'il vient de saisir dans l'aquarium. Zoé distingue très bien la queue noire qui se tord : c'est un scorpion ! David se dirige ensuite vers une cage en verre qui contient des bébés serpents. Il en prend un et le dépose dans un sac en tissu. Puis il fait la même chose avec un rat. Ensuite, il éteint la lumière et sort du laboratoire. Zoé a juste le temps de se cacher derrière un arbre. Elle retient sa respiration.

Zoé aura-t-elle le courage de suivre David ?

Imagine un instant qu'elle continue sa filature. Pour savoir où va la mener cette aventure, avance dans le quadrillage en suivant les nombres de 4 en 4 à partir du départ, et colorie les cases du chemin de la poursuite.

Départ →

154	159	163	167	186	192
158	162	169	173	190	194
161	166	170	175	186	193
165	169	174	178	182	185

→ Savane

Si tu penses avoir trouvé le chemin de la poursuite → Lis le n° 2.

Dangereuse poursuite

« Surtout ne pas bouger », pense la fillette, très impressionnée. Même si elle sait très bien que, à Madagascar, la plupart des serpents sont inoffensifs. « Il ne faut pas qu'il me repère », se dit-elle en tremblant un peu. Mais le reptile a finalement repéré une proie. C'est une pauvre grenouille dont il fait son diner. En une bouchée, l'animal disparait dans le ventre du serpent qui, ensuite, reprend tranquillement son chemin. La grotte n'est plus très loin. Zoé avance avec le plus de discrétion possible. Heureusement, les cris des animaux couvrent le bruit de ses pas. David est assis sur un rocher devant la grotte. Et il croque des gâteaux. Zoé reconnait les biscuits au coco de Tim et Tadesse. « Quel toupet ! » pense-t-elle. David reste assis et il regarde la rivière. Il semble attendre quelqu'un ou quelque chose.

Soudain, on entend un bruit de moteur. Un bateau apparait dans la nuit. Ses phares éclairent l'entrée de la grotte. David et l'homme du bateau se font de grands signes tandis que Zoé, effrayée, plonge dans les herbes.

– T'as la marchandise ? demande l'homme en éteignant le moteur.

– Et comment ! dit David qui brandit un grand sac. Là-dedans, tu as l'intégralité du dossier « Criquets ». Plus trois bestioles qui ont ingéré le produit magique du grand docteur Patrick.

Cachée dans les hautes herbes, Zoé est parcourue de frissons. « David est fou, ma parole ! » pense la fillette. À son tour, l'homme tend un paquet à David :

– Tu peux vérifier, mais je crois que le compte est bon.

David arrache précipitamment le papier d'emballage. Il saisit les billets et les brandit vers le ciel en criant :

– Victoire et vengeance !

Comment Zoé va-t-elle réagir face à cette trahison ?

Cette trahison a rapporté à David beaucoup d'argent.

Voici ce que contient le paquet tendu par l'inconnu :

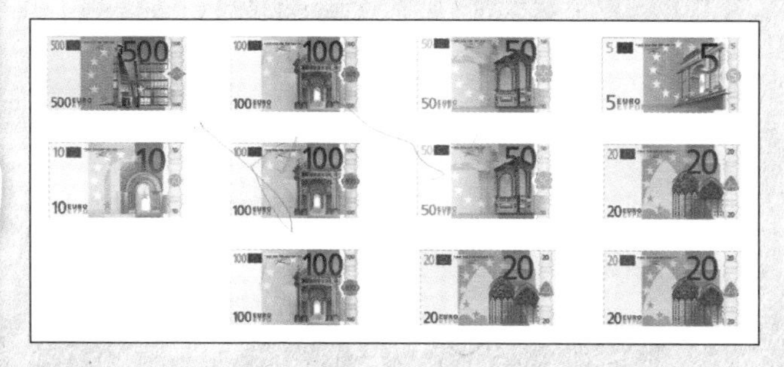

Quelle somme David a-t-il récupérée ? **Entoure-la.**

a. 975 € **b.** 965 € **c.** 875 €

Si tu as entouré a. → Lis le n° 9.

Si tu as entouré b. → Lis le n° 8.

Si tu as entouré c. → Lis le n° 6.

mémo 5

2 

Faux ! La vue est associée aux yeux.

→ Recommence l'exercice du n° 9.

3 

Tu t'es trompé(e) ! L'odorat est associé au nez.

→ Refais l'exercice du n° 9.

4 

En une seconde, Tim est avec elle. Il sort une trousse de premiers secours et choisit un bandage. Puis il fabrique une petite attelle avec deux morceaux de bois.

– Comme ça, tu auras moins mal.

Il nettoie ensuite la coupure avec un désinfectant et applique un pansement sur la plaie de Zoé.

– Voilà, une parfaite petite blessée ! Allez en route, ne trainons pas !

Tim encorde Zoé, escalade la paroi du ravin, puis il la hisse à son tour. Enfin hors du trou, Zoé pousse un soupir de soulagement. Sur le chemin du retour, elle fait le récit de ses aventures. Tim n'en revient pas. Il hâte le pas :

– Il faut prévenir papa le plus vite possible !

Mais en arrivant au laboratoire, une surprise

les attend. La porte du laboratoire est ouverte et les animaux se sont échappés. Les rats et les scorpions courent dans tous les sens. Les serpents glissent dans l'herbe mouillée : une vraie vision de cauchemar !

– Papa ! hurle Tim en courant vers le laboratoire. Zoé, préviens les parents ! Je vais essayer d'attraper les animaux pour les remettre dans leurs cages !

Zoé se précipite dans la maison. Oncle Pat et tante Val dorment paisiblement.

– Oncle Pat ! Réveille-toi ! Les animaux se sont sauvés !

Oncle Pat se redresse, les yeux hagards :

– Les animaux ? Quels animaux ?

Il retrouve vite ses esprits. En une minute, il rejoint le laboratoire.

– C'est David ! dit Zoé. J'en suis sure ! Après ce que j'ai vu cette nuit, je n'ai aucun doute.

Zoé raconte alors à oncle Pat sa nuit mouvementée.

– Pourquoi ? Mais pourquoi m'a-t-il fait ça ? se lamente oncle Pat. Je croyais que nous étions amis. Tu dois te tromper Zoé, ce n'est juste pas possible. Ce ne peut pas être lui. Peut-être que ton imagination te joue des tours…

– Mais je t'assure, je n'invente rien ! se défend Zoé.

Retrouvant un peu ses esprits, oncle Pat se tourne vers sa nièce et la serre contre lui :

– Quoi qu'il en soit, il ne fallait pas prendre autant de risques, ma chérie. Mais je te remercie. Du fond du cœur.

– Et maintenant, qu'est-ce qu'on fait ? demande Tim.

– J'appelle la police, dit oncle Pat.

Une demi-heure plus tard, la police est là. Entre-temps, oncle Pat et Tim ont réussi à rattraper quelques animaux en fuite et à les remettre dans leurs cages. La police interroge Zoé.

Zoé se concentre. Elle tente de décrire le complice de David, aperçu dans la nuit. Elle explique aussi où se trouve la grotte et ce que les hommes ont échangé.

Les policiers l'écoutent, l'air sceptique. Zoé sent bien que son histoire est trop extraordinaire et qu'elle ne les a pas convaincus. Elle ne sait plus quoi dire pour qu'on la croie. Tout à coup, un cri leur parvient.

Ce cri aurait-il un lien avec le dossier ?

D'ailleurs, qu'a échangé David contre de l'argent ?

- Le dossier plus trois bestioles.
- Le dossier plus trois CD.
- Le dossier plus trois produits magiques.

Recopie ta réponse :

C'est ton CINQUIÈME INDICE. N'oublie pas de le noter sur ta page-indices (page 109).

Maintenant → va au chapitre 6 pour connaitre les derniers rebondissements de ton énigme !

Voici la miniaturisation du ravin :

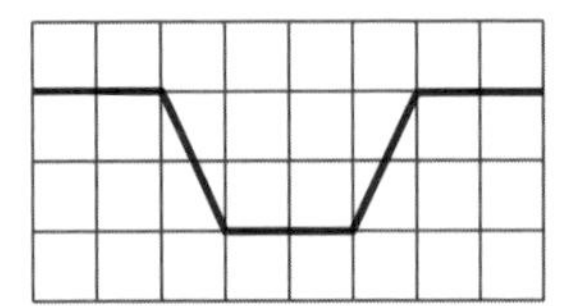

→ Va maintenant au n° 4.

Faux ! N'oublie pas la retenue des centaines !

→ Retourne à l'exercice du n° 1.

Zoé n'a pas senti qu'elle quittait le chemin. Sa course l'a amenée vers l'intérieur de la savane. Et la savane est parfois cruelle… Soudain, elle tombe ! La chute lui semble longue. Zoé a l'impression qu'elle n'atteindra jamais le sol. Quand elle atterrit enfin, tout est noir et silencieux. Zoé remue les bras et les jambes pour voir si elle a quelque chose de cassé. Son poignet droit la fait horriblement souffrir et elle saigne de la joue. Elle attrape sa lampe de poche et l'allume. Le trou est profond.

« C'est un ravin », pense la fillette. Sous ses pieds, elle sent de l'eau. « Pourvu que ce ne soit pas un nid de crocodiles ! » Les parois du ravin sont recouvertes de terre humide. Où Zoé pourrait-elle s'accrocher pour remonter ? Nulle part ! Il n'y a rien ici qui puisse l'aider. Elle voudrait crier, mais elle a bien trop peur de David. Elle ferme les yeux et, pour se donner du courage, elle pense à Tadesse. Soudain, elle entend son nom. « Mon Dieu, c'est David ! Il est là, il est tout près ! » Pourtant, la voix est plus jeune.

– Zoé ! Zoé ! continue la voix, imperturbable.

Tout à coup, elle aperçoit Chips en haut du ravin.

– Tim ! hurle Zoé. Je suis là !

Un instant plus tard, Tim a rejoint son fidèle lémurien.

– Je n'ai jamais été aussi contente de te voir ! dit Zoé.

– Zoé, tu n'as rien ? demande Tim, inquiet. Heureusement, Chips a suivi ta trace. C'est lui qui m'a mené jusqu'à toi. Mais dis-moi, es-tu blessée ?

– Je crois que j'ai le poignet abimé et une coupure à la joue.

Tim sort une grande corde de son sac et l'attache à un arbre.

– Tu as tout prévu ! dit Zoé en grimaçant de douleur.

– On ne se balade pas dans la savane sans un minimum de matériel, dit Tim, très sérieux. Tu le sauras pour la prochaine fois !

– Quelle prochaine fois ? demande Zoé à travers ses larmes.

Connais-tu les fabuleux paysages de Madagascar ? En effet, cette ile renferme de nombreuses grottes à explorer, des ravins à escalader, des rivières à descendre...

Ces merveilles sont classées en réserves naturelles. Il y a aussi des réserves spéciales qui ont été créées pour protéger des espèces animales.

Au fond de ce ravin, Zoé tremble de peur, car remonter lui semble impossible.

Voici à quoi ressemble ce ravin :

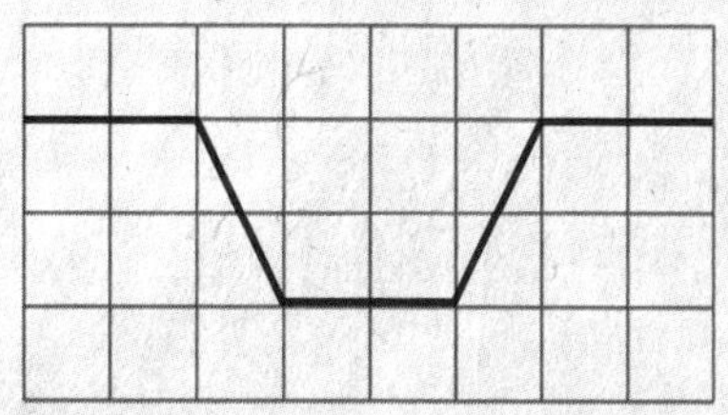

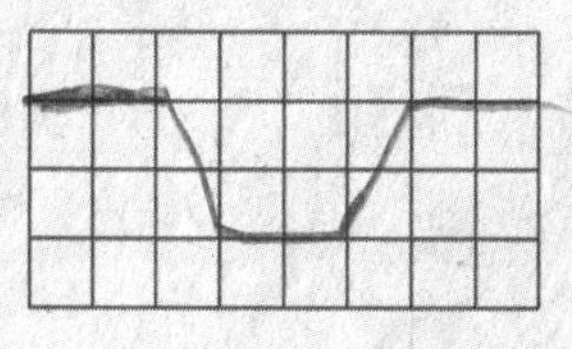

Reproduis ce ravin en le miniaturisant dans le second quadrillage.

Quand tu as terminé → Lis le n° 5.

mémo 7

8 

Faux ! Tu as surement oublié une dizaine.

→ Recommence l'exercice du n° 1.

9 

Zoé en a entendu assez. Elle n'a qu'une hâte : retourner au plus vite chez Tim. Et tout raconter à oncle Pat. Il est peut-être encore temps de sauver le projet « Criquets ». Elle se relève doucement et monte sans faire de bruit dans sa pirogue. Puis elle se met à pagayer. Cette fois, elle est à contre-courant. La pirogue recule au lieu d'avancer. Et elle se dirige droit vers les deux truands. Heureusement, les deux hommes sont rentrés dans la grotte. Zoé pagaie alors de toutes ses forces. Elle finit par vaincre le courant. Mais ses mains sont en feu et ses bras tremblent comme des feuilles. Enfin, elle rejoint le canyon. Au moment où elle se croit enfin sortie d'affaire, une voix retentit dans la nuit :

– Qu'est-ce que tu fais là, gamine ?

Zoé reconnait la voix de l'homme au bateau. Zoé se met à courir. Les pierres forment une avalanche sous ses pieds. En tombant, elles retardent l'homme qui continue à crier. Bientôt, il n'est plus seul. David l'a rejoint.

– C'est une fillette, je crois ! Une blanche. Elle nous espionnait, j'en suis sûr.

– On ne peut pas la laisser filer ! dit David, furieux.

Désormais, ils sont deux à sa poursuite. Heureusement, Zoé a de l'avance. De temps en temps, elle s'arrête pour reprendre sa respiration.

Elle ne préfère pas imaginer ce que fera David s'il la rattrape. Zoé a gravi le canyon. Arrivée en haut, elle se met à courir encore plus vite. De l'autre côté des arbres, il y a la maison de Tim. Son abri, son refuge. La fillette ne sent plus ses jambes. Ses bras la font horriblement souffrir. Mais elle court comme jamais elle n'a couru. Pour ne pas se faire repérer, elle a éteint sa lampe de poche. Elle écoute les bruits de la nuit, se fiant à son oreille.

Son oreille la guidera-t-elle assez pour échapper aux dangers ?

Dans la nuit, Zoé ne voit pas suffisamment : sa vue est affaiblie.

Mais si son tympan était abimé, quel sens serait touché ? **Entoure la bonne réponse.**

a. L'ouïe. **b.** La vue. **c.** L'odorat.

Si tu as entouré a. → Lis le n° 7.

Si tu as entouré b. → Lis le n° 2.

Si tu as entouré c. → Lis le n° 3.

mémo 18

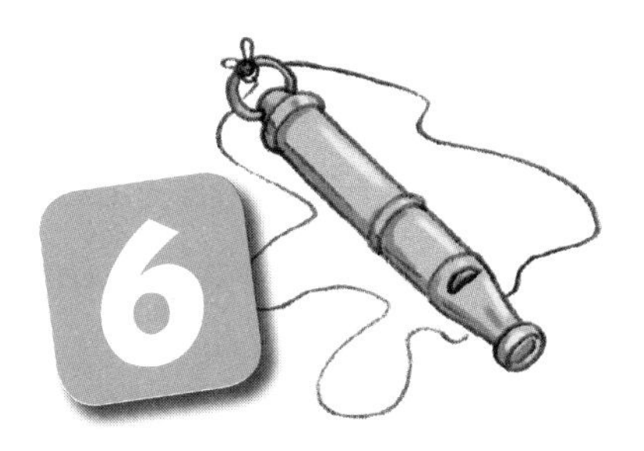

Le piège se referme

C'est oncle Pat qui a crié. Il se tient près de son ordinateur et il répète :

– Non, ce n'est pas possible ! Pas ça !

Tim se jette sur son père :

– Qu'est-ce qui se passe, papa ? Dis-nous ce qui se passe, à la fin !

Oncle Pat répète, comme pour lui-même :

– Le dossier dans mon coffre et tous les CD du projet « Criquets » ont disparu. Je n'ai plus rien ! Vous m'entendez ? Plus rien ! Trois ans de travail, pffft ! Volatilisés !

Oncle Pat met la tête entre ses mains :

– Pourquoi ? Mais pourquoi ?

– Bon, nous allons fouiller la maison de David Mo, dit le policier. Donnez-nous son adresse, on ne sait jamais…

Pendant ce temps, le médecin est venu. Zoé a bien le poignet foulé. Elle doit garder le bras en écharpe. Quant à sa joue, aucun risque d'infection. Le médecin félicite Tim pour ses réflexes de **secouriste**.

Comment Tim a-t-il pu fabriquer une attelle pour le bras de Zoé ?

Tim est vraiment très ingénieux.

Pour immobiliser le bras de Zoé, il a joint deux morceaux de bois, un de 28 centimètres et un autre de 39 centimètres. Combien mesure cette attelle ?

Entoure la bonne réponse.

a. 57 centimètres.

b. 67 centimètres.

Si tu as entouré a. → Lis le n° 4.

Si tu as entouré b. → Lis le n° 13.

mémo 5

Qu'est-ce que le secourisme ?

Les premiers secours sont l'ensemble des soins d'urgence donnés aux blessés et aux malades par une personne qui n'est pas toujours médecin. Ils ont pour but d'assurer la survie de la victime avant l'arrivée de personnes plus compétentes. Les premiers secours empêchent que l'état de la personne ne s'aggrave.

2 

Attention ! Elle est arrivée 3 jours avant le 25 juillet.

→ Recommence l'exercice du n° 13.

3 

– Maudite cousine ! hurle David. J'en ai marre de te trouver sur ma route !

– Pourquoi êtes-vous revenu sur les lieux du crime ? bafouille Zoé.

– Pour ça ! répond David en brandissant *L'Écho-Logis.* Je l'avais oublié le soir où tu m'as suivi et la date de ce maudit quotidien indique que je suis bien passé au laboratoire. C'est la seule preuve contre moi. C'était la seule, devrais-je dire, car personne ne le saura jamais maintenant.

David glisse alors le journal dans sa poche.

– Mais moi, je sais, réplique Zoé.

– Et tu penses vraiment qu'on va te croire ? Toi, une gamine de huit ans ! Laisse-moi rire !

Et David ouvre une cage et la jette dedans. Zoé pousse un hurlement.

– Tim ! Oncle Pat ! Au secours !

– Tu peux crier, ma belle ! Personne ne t'entendra. Ce laboratoire est insonorisé. Alors tu ferais mieux de la fermer tout de suite et de garder tes forces. Tu vas en avoir besoin !

Tout à coup, la porte s'ouvre.

– On dirait que nous avons de la visite… Entre cher cousin, ironise David en plaquant Tim sur le sol.

– Tim ! sanglote Zoé.

– Tu n'étais plus dans ton lit… bredouille Tim.

– Quelle scène attendrissante ! ricane David. Rassurez-vous, vous n'allez plus vous quitter. À la vie, à la mort, comme on dit ! Pas vrai ?

Et il enferme Tim dans la cage, avec Zoé qui se jette dans ses bras.

– Ne t'inquiète pas, chuchote Tim à l'oreille de Zoé. Je vais nous sortir de là.

– Et comment ? murmure Zoé.

Tim sort alors de sa poche un petit sifflet.

– Qu'est-ce que c'est ? demande Zoé.

– C'est un **sifflet à ultrasons**. Il peut traverser les murs, même insonorisés.

? Qu'est-ce qu'un sifflet à ultrasons ?

Les ultrasons sont des ondes mécaniques dont la fréquence est si élevée que leurs vibrations sont trop aigües pour être entendues par les êtres humains. On utilise les sifflets à ultrasons surtout pour les animaux, en particulier les chiens qui, eux, les entendent très bien.

– Qu'est-ce que tu comptes faire avec ça ?

– Fais-moi confiance…

David se retourne brusquement, le visage rougi par la colère. « Il est vraiment dingue ! » pense Zoé, folle d'inquiétude.

– Qu'est-ce que vous complotez dans mon dos, les morpions ? demande David.

– Ça ne te regarde pas, dit Tim.

– Tu me parles sur un autre ton, s'il te plait, mon garçon. Je te rappelle que tu me dois le respect.

– Je ne te dois rien du tout ! poursuit Tim. Tu es un traitre, un menteur et un lâche !

David entre dans une colère noire.

– Tu mérites une correction ! hurle David en ouvrant la cage.

Tim va-t-il se laisser faire ?

Tim a tout prévu pour sortir de cette maudite cage grâce à son sifflet.

Ce sifflet a la forme d'un petit cylindre.

À quoi ressemble donc cet objet ? **Entoure la bonne réponse.**

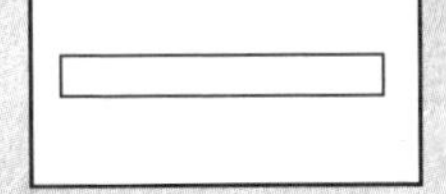

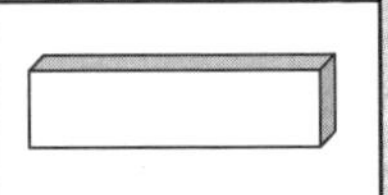

a. **b.** **c.**

Si tu as entouré a. → Lis le n° 7.

Si tu as entouré b. → Lis le n° 16.

Si tu as entouré c. → Lis le n° 10.

Tu t'es trompé(e) ! Attention à ne pas oublier la retenue ! → Recommence l'exercice du n° 1.

Faux ! Tu as fait une erreur de calcul.

→ Recompte et refais l'exercice du n° 13.

– J'ai rêvé ? se demande Zoé en se levant.

Mais en regardant par la fenêtre de la chambre,

Zoé comprend que ce n'est pas un éclair. C'est une lumière. Et elle vient du laboratoire.

« Décidément, ça ne finira jamais ! » pense la fillette. En une seconde, Zoé traverse la pelouse et se retrouve devant le laboratoire.

David est au milieu de la pièce. Son visage est blême. Et son regard bleu-acier est si terrorisant que Zoé voudrait disparaitre sous terre.

David tient un journal dans les mains. Zoé reconnait le fameux quotidien *L'Écho-Logis* dont s'était tant moqué oncle Pat. Elle se hisse sur la pointe des pieds et, à cet instant, son regard croise celui de David.

En un instant, David est dehors à côté d'elle. Zoé tente de s'enfuir, mais il est trop tard. L'homme la saisit par les épaules et la secoue.

– De quoi te mêles-tu encore ?

Puis il la pousse à l'intérieur du laboratoire.

Que va faire ce redoutable David ?

Ce personnage est vraiment effrayant, son visage est blême. À propos, que veut dire « blême » ?

- Il est tout rouge.
- Il est tout blanc.
- Il est tout gris.

Recopie ta réponse :

C'est ton SIXIÈME INDICE. N'oublie pas de le noter sur ta page-indices (page 109).

Maintenant → va au n° 3.

7 

Attention ! Le cylindre est un solide, pas le rectangle.
→ Recommence l'exercice du n° 3.

8 

Puis Zoé et Tim ferment tout à clé et se précipitent vers la maison. Ils réveillent oncle Pat et tante Val en sursaut.

– On a eu David ! On a arrêté David !

– Quoi ?

– David est neutralisé ! disent les deux enfants, ivres de fierté. C'est tout ce qui compte !

Oncle Pat pousse un soupir de soulagement et affiche un sourire crispé. Puis il appelle la police. Un quart d'heure plus tard, un gyrophare retentit dans la nuit.

Les policiers interrogent David, qui avoue le vol des dossiers.

– Mais pourquoi une telle trahison ? demande un peu plus tard oncle Pat aux agents de police.

– David Mo était payé par Nova. Cette entreprise avait tout intérêt à ce que vos idées échouent, explique un policier. Avec votre projet, elle perdait tous les marchés d'insecticides à Madagascar. Et pour Nova, c'était la faillite assurée !

– Mais David était comme un frère pour moi ! ajoute oncle Pat, les yeux dans le vague.

– D'après ce qu'il nous a raconté, il vous en voulait d'avoir réussi… Il était jaloux depuis des années et il guettait le moment où il pourrait vous nuire. Et puis il avait besoin d'argent. Des grosses dettes de jeux, c'est ce qu'il nous a dit…

– Et les CD ?

– Ils sont dans un coffre-fort à la banque ; il a fini par nous l'avouer… Comme il nous a avoué qu'il était revenu exprès au laboratoire pour récupérer *L'Écho-Logis*, l'unique preuve contre lui... Votre ami risque de longs mois de prison, vous savez !

– Mon ami ? Un escroc, oui ! soupire oncle Pat.

***

Deux mois plus tard.

– Je suis fier de vous remettre l'ordre national du Mérite agricole, déclare le ministre français de l'Agriculture qui a tout spécialement fait le déplacement. Il est accompagné du président de Madagascar, et la fierté se lit sur leur visage. Grâce à vos recherches, les criquets vont être éliminés dans le plus grand respect de la nature.

Avec qui oncle Pat va-t-il partager cette récompense ?

Cette médaille de l'ordre national du Mérite agricole récompense le travail de l'oncle Pat.
Grâce à lui, la nature et les plantes seront respectées. Au fait, de quoi les plantes n'ont-elles pas besoin pour grandir ? **Entoure la bonne réponse.**

a. De lumière. **b.** D'eau. **c.** D'obscurité.

Si tu as entouré a. → Lis le n° 9.
Si tu as entouré b. → Lis le n° 12.
Si tu as entouré c. → Lis le n° 11.

mémo 16

9 

Faux ! La lumière est indispensable pour la croissance des plantes. → Refais l'exercice du n° 8.

10 

Tu t'es trompé(e) ! Ce solide est un pavé.
→ Refais l'exercice du n° 3.

11 

Oncle Pat est fier. Il est entouré de Tim, de Tadesse, de tante Val, de Zoé qui est revenue avec ses parents. Ils ont fait le chemin jusqu'à Madagascar pour partager ce grand moment avec lui. Oncle Pat prend alors la parole :

– Je voudrais partager cette médaille avec mon fils, Tim, et ma nièce Zoé.

Les deux enfants se regardent en souriant.

– Mes recherches n'auraient pas pu voir le jour sans leur aide précieuse.

Un tonnerre d'applaudissements emplit la salle.

– Et maintenant, passons donc au buffet.

– Maman, papa ! Vous devriez gouter ces drôles de petits beignets… propose Zoé.

– Ce sont des sambos, précise madame Raben qui les a rejoints. C'est moi qui les ai cuisinés ! En votre honneur…

– Et ce sont les meilleurs du pays, ajoute Manga Raben en souriant.

– Prétentieux ! plaisante madame Raben en embrassant tendrement son mari.

– Zoé les adore ! dit Tadesse dans un large sourire.

Puis se tournant vers elle, il ajoute :

– J'espère que tu reviendras souvent chez nous !

Zoé rougit de plaisir. Ces vacances à Madagascar, quelle aventure !

FIN

→ Rends-toi à la page 94.

12 

Faux ! Sans eau, les plantes meurent.

→ Recommence l'exercice du n° **8**.

13 

La journée se déroule dans une sorte de brouillard. Oncle Pat est abasourdi par toute cette histoire. Dans l'après-midi, un policier sonne enfin à la porte :

– Nous avons perquisitionné l'appartement de David Mo. Nous n'avons rien trouvé de compromettant. Il semble avoir disparu, lui aussi, mais sa disparition, même si elle est bizarre, ne constitue pas une preuve contre lui. Et à part le témoignage de votre nièce, nous n'avons rien. C'est maigre tout ça… Il nous faudrait quelque chose de concret, pas le récit d'une gamine ! En attendant, nous continuons notre enquête et nous vous tiendrons au courant.

Tante Val est accablée par la nouvelle. Elle sait bien que Zoé a dit la vérité. Mais si on ne trouve pas au plus vite une preuve contre David, les recherches d'oncle Pat seront perdues. Et pour toujours. Quel monstrueux gâchis !

La nuit est tombée. Tim et tante Val finissent par se coucher. Au milieu de la nuit, Zoé se réveille. « C'est si injuste, pense-t-elle, comment prouver que je ne raconte pas des histoires ? » Dans le lit d'à côté, son cousin dort à poings fermés. Zoé repense à son arrivée à Madagascar. À la première soirée, chez les Raben. Cela lui semble si loin ! Elle s'apprêtait alors à passer des vacances paisibles, au soleil, avec son cousin chéri. Ses seules peurs étaient de se faire piquer par les moustiques ou d'attraper un coup de soleil. « Si mes parents me voyaient..., pense alors Zoé, ils seraient sans doute très inquiets pour moi. »

Soudain, un éclair passe devant la fenêtre.

Zoé a-t-elle réellement vu un éclair ?

Après de telles aventures, Zoé n'a plus les idées claires.

Elle repense à son arrivée, il y a 3 jours.

Or, nous sommes maintenant le 25 juillet.

Quel jour est-elle arrivée chez son cousin ?

Entoure la bonne réponse.

a. Le 28 juillet.

b. Le 22 juillet.

c. Le 21 juillet.

Si tu as entouré a. → Lis le n° 2.

Si tu as entouré b. → Lis le n° 6.

Si tu as entouré c. → Lis le n° 5.

mémo 6

Faux ! 20 cm correspondent à la longueur d'une règle graduée. Cela est donc trop petit pour mesurer plusieurs pas.

→ Refais l'exercice du n° 16.

Attention ! Les kilomètres permettent de mesurer de très longues distances.

→ Recommence l'exercice du n° 16.

16 

Tim porte alors le sifflet à sa bouche et souffle dedans. Malheureusement, le sifflet lui échappe et tombe à terre, provoquant un léger cliquetis. Ce bruit suffit à alerter David qui se fige :

– Qu'est-ce que tu fais ?

Zoé en profite pour sortir de la cage. De son bras valide, elle saisit une chaise et tente de frapper David. Mais il la stoppe net et la jette sur le sol. Tim, à son tour, attrape David par le cou et s'accroche à lui de toutes ses forces pour le faire tomber. Mais David est trop grand et trop fort. Il l'envoie rouler sous le bureau.

– Je reconnais que vous êtes de bons adversaires ! ricane encore David.

À cet instant, la porte s'ouvre. Chips se faufile vers David.

– Attaque ! Attaque ! ordonne Tim.

Le lémurien obéit et sort ses griffes. Il enfonce ses dents dans le bras de David, qui pousse un hurlement. Bientôt, il est rejoint par Nora le boa qui, tout doucement mais surement, s'enroule autour de ses jambes. David est complètement immobilisé. Il est à terre et se tord de douleur. La morsure le fait atrocement souffrir. Les deux enfants en profitent pour le trainer jusque dans la cage.

Vont-ils réussir à enfermer David ?

Les enfants veulent isoler David dans la cage qui se trouve à quelques pas.

À quelle distance se trouve donc cette cage ?

Entoure la bonne réponse.

a. 4 mètres.

b. 20 centimètres.

c. 1 kilomètre.

Si tu as entouré a. → Lis le n° 8.

Si tu as entouré b. → Lis le n° 14.

Si tu as entouré c. → Lis le n° 15.

mémo 13

L'aventure t'a-t-elle plu ?

Zoé et son cousin Tim t'ont entrainé(e) dans une aventure riche en rebondissements. À travers leur histoire, tu as pu apprendre que les pesticides peuvent parfois provoquer des dégâts considérables et devenir de vrais poisons pour l'être humain et son environnement. Cependant, ces produits nous sont d'abord apparus comme bénéfiques, car ils ont permis aux agriculteurs de lutter contre certains animaux (rongeurs, insectes, criquets, par exemple) ou certaines mauvaises herbes nuisibles aux plantations. Mais aujourd'hui, on comprend mieux à quel point ils sont polluants. La solution ? Les utiliser avec beaucoup de précautions ! En attendant, ne crois pas que tout ce qui est chimique est toxique. En effet, grâce aux découvertes de certains chercheurs, on vit mieux et plus longtemps (vaccins, antibiotiques...). Finalement, par son courage et sa détermination, Zoé a permis au projet « Criquets » de voir le jour et nous espérons que cela te donnera encore plus envie de protéger notre bien le plus précieux : la Terre !

***

Bravo ! Puisque tu es allé(e) jusqu'au bout de cette histoire et de ses exercices, envoie-nous, sur le site **www.lenigme.com**, la liste des indices que tu as écrits page 109, et tu pourras télécharger des surprises.

À bientôt pour de nouvelles aventures !

Mémo

Pour t'aider à faire tes exercices

Maths

Questionner le monde

Nombres

1 Lire et écrire un nombre

• On écrit des nombres avec les chiffres :
0 – 1 – 2 – 3 – 4 – 5 – 6 – 7 – 8 – 9.
La place des chiffres est très importante.

Centaines	Dizaines	Unités
5	2	6
2	6	5

526 : ce nombre s'écrit 5 centaines, 2 dizaines et 6 unités.
Il peut s'écrire 500 + 20 + 6.
265 : ce nombre s'écrit 2 centaines, 6 dizaines et 5 unités.
Il peut s'écrire 200 + 60 + 5.

2 Connaitre les différentes écritures d'un nombre

• Un nombre peut avoir différentes écritures :
284 → deux-cent-quatre-vingt-quatre
200 + 80 + 4
2 c + 8 d + 4 u

• Les mots cent et quatre-vingt prennent un « s » quand ils se trouvent à la fin de l'écriture du nombre.
300 s'écrit trois-cents.
380 s'écrit trois-cent-quatre-vingts.

Calculs

3 Choisir la bonne opération

Pour résoudre des problèmes, on a besoin d'opérations.
L'addition (+) permet de calculer une somme de plusieurs nombres :

248 + 131 = 379

• La soustraction (–) permet de calculer une différence ou un écart entre deux nombres :

248 – 131 = 117

• La multiplication (x) permet de calculer un produit. On l'utilise pou[r] éviter plusieurs additions :

248 + 248 + 248 = 248 x 3 = 744

4 Calculer le double

Trouver le double d'un nombre, c'est le multiplier par 2.
Le double de 15 est 30 (15 x 2).

5 Effectuer une addition à retenue

• Quand on veut additionner plusieurs grands nombres, on peut poser l'addition en colonnes.
• Pour cela, on aligne **les unités sous les unités, les dizaines sous les dizaines et les centaines sous les centaines**. On calcule d'abord la colonne des unités puis celle des dizaines et enfin celle des centaines.
• Les retenues doivent être placées en haut des colonnes.

$$\begin{array}{r} {\scriptstyle 1\ 1\ \ } \\ 5\ 7\ 9 \\ +\ 1\ 2\ 4 \\ \hline 7\ 0\ 3 \end{array}$$

6 Utiliser la soustraction

• La soustraction, c'est l'inverse de l'addition : pour l'addition, on ajoute et pour la soustraction, on retire.
• La soustraction permet de calculer un écart, une différence, un manque.
• Quand on pose une soustraction en ligne ou en colonne, **on commence toujours par écrire le plus grand des deux nombres**.

258 – 136 = 122 ou

$$\begin{array}{r} 2\ 5\ 8 \\ -\ 1\ 3\ 6 \\ \hline 1\ 2\ 2 \end{array}$$

Espace et géométrie

7 Se déplacer et se repérer sur un quadrillage

• Pour se déplacer sur un quadrillage, on peut utiliser un code : **les flèches**.

→ une case à droite

← une case à gauche

↓ une case vers le bas

↑ une case vers le haut

• Le quadrillage permet aussi de **reproduire** ou de **modifier** la taille d'une figure (**agrandir** ou **réduire**).

8 Distinguer les formes géométriques

• Les formes géométriques simples sont le carré, le rectangle, le rond et le triangle.

• Celles qui doivent être tracées à la règle s'appellent des **polygones**. Le rond n'est pas un polygone.

9 Reconnaitre un solide

• Un solide est un objet que l'on peut tenir dans ses mains : **il a un volume**.

• On peut décrire un solide par ses caractéristiques comme les **faces**, les **sommets** ou les **arêtes**.

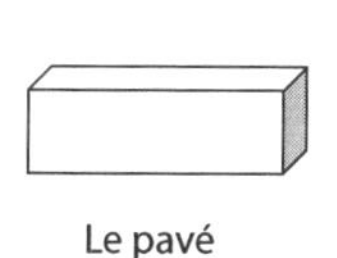

Le pavé

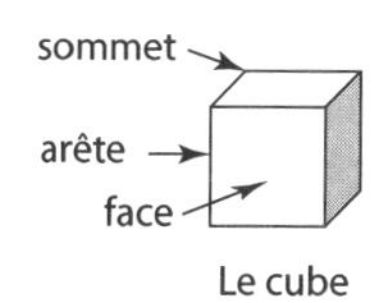

Le cube

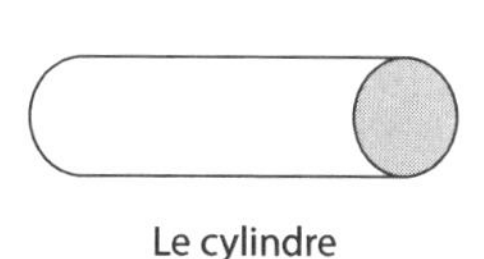

Le cylindre

10 Construire une figure symétrique

• Une figure symétrique est une figure qui est construite de la même façon des 2 côtés d'un axe : l'**axe de symétrie**.

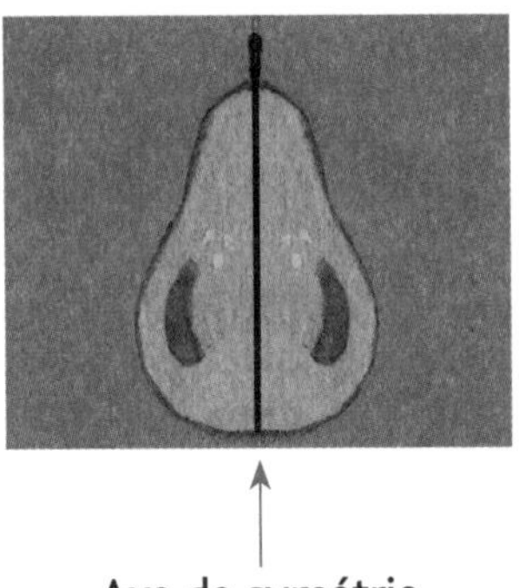

Axe de symétrie

• Pour construire une figure symétrique, il faut repérer l'axe de symétrie et se servir du quadrillage en plaçant des points de repère sur les nœuds.

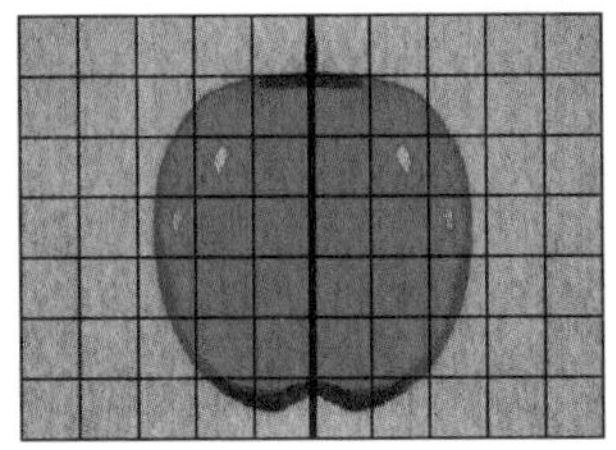

11 Utiliser la règle graduée

• La règle graduée sert à tracer une ligne droite ou à mesurer la distance entre deux points. Cette distance s'appelle un **segment**.
• Pour bien mesurer un segment, il est important de placer correctement le 0 de la règle graduée.

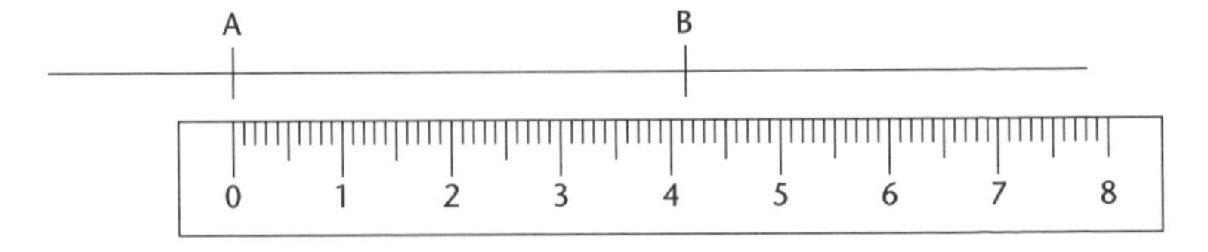

• On trace les traits horizontaux toujours au-dessus de la règle, et de gauche à droite ; et on trace les traits verticaux à droite de la règle et de haut en bas.

Grandeurs et mesures

12 Lire l'heure

La **petite aiguille** indique **les heures** : il est 10 heures ou 22 heures.

La **grande aiguille** indique **les minutes** : il est 10 h 25 min ou 22 h 25 min.

Pour apprendre à lire l'heure, il faut savoir que :
– **un quart d'heure = 15 minutes ;**
– **une demi-heure = 30 minutes ;**
– **trois quarts d'heure = 45 minutes.**

13 Utiliser les unités de longueur et de masse

- **Les longueurs**

– Pour mesurer de longues distances, on utilise le **kilomètre** (km).
1 km = 1 000 m
– Pour mesurer de grandes longueurs, on emploie le **mètre** (m).
– Pour mesurer de petites longueurs, on emploie le **centimètre** (cm).
1 m = 100 cm

- **Les masses**

– Pour peser une personne ou un objet lourd, on emploie le **kilogramme** (kg).
– Pour peser un objet léger, on emploie le **gramme** (g).
1 kg = 1 000 g
– Pour additionner des masses, on ajoute les grammes avec les grammes, les kilogrammes avec les kilogrammes...

Les objets

14 Comprendre un circuit électrique

- Pour réaliser un circuit électrique simple, il suffit d'avoir une pile, une ampoule et des fils conducteurs.

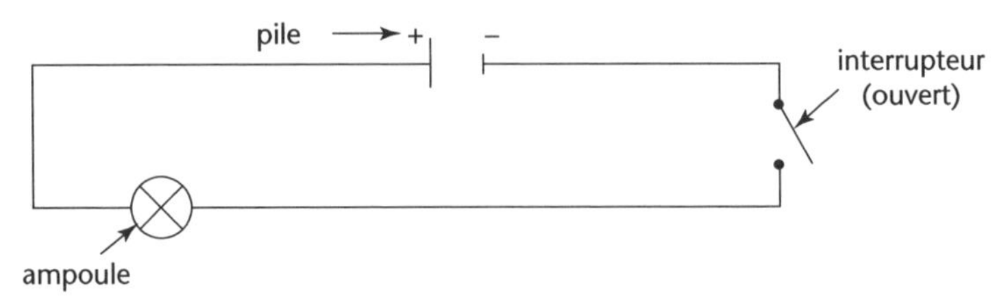

- Les fils conducteurs peuvent être en cuivre, en fer ou en aluminium. Le plastique, le bois ou encore la laine ne laissent pas passer le courant : ils sont isolants.

L'espace

15 Savoir s'orienter dans l'espace

- Pour s'orienter, on repère la direction des 4 points cardinaux : le nord, le sud, l'est et l'ouest.
- Le nord se trouve à l'opposé du sud, l'est se trouve à l'opposé de l'ouest.

- La boussole est un instrument qui permet de repérer la direction du nord grâce à une aiguille aimantée.

Le vivant

16 Comprendre comment poussent les plantes

- Une plante est vivante : elle nait, elle grandit et elle meurt.
- Pour grandir, la plante a besoin de lumière, d'eau et de sels minéraux.

17 Classer les animaux selon ce qu'ils mangent

- Les animaux mangent soit des végétaux (herbes, plantes, fruits, légumes...), soit de la viande, soit les deux.
- Ceux qui se nourrissent de végétaux sont les herbivores, comme la vache, les oiseaux...
- Ceux qui se nourrissent de viande sont les carnivores, comme le lion, le crocodile...
- Ceux qui se nourrissent de végétaux et de viande sont les omnivores, comme l'ours, le porc...

Herbivores	
foin, herbe	vache
Carnivores	
viande	lion
Omnivores	
viande, fruits, feuilles	ours

18 Distinguer les cinq sens

Pour mieux connaitre le monde qui nous entoure, nous avons 5 sens auxquels correspondent des organes bien précis :

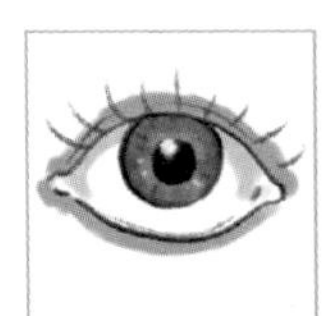

- La vue dont les yeux sont l'organe.

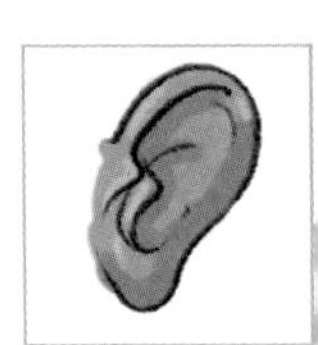

- L'ouïe dont les oreilles sont l'organe.

- Le gout dont la langue est l'organe.

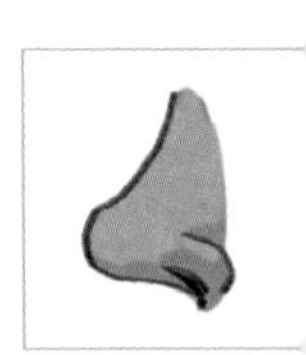

- L'odorat dont le nez est l'organe.

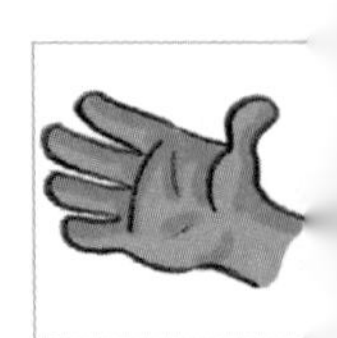

- Le toucher dont la peau est l'organe.

Voici quelques informations documentaires en lien avec le thème de l'énigme que tu viens de lire.

Quel est le climat de Madagascar ?

Madagascar a un climat tropical divisé en deux : la saison des pluies en été et la saison sèche en hiver. On peut noter trois climats différents : celui des Hautes Terres (centre de l'ile), celui de la côte ouest et celui de la côte est. Contrairement à l'Afrique, il n'y a pas de canicule et l'on peut même voir de la neige sur les montagnes.

Qu'est-ce qu'une mangrove ?

Madagascar représente la plus grande surface de mangroves dans l'océan Indien. On parle de mangrove quand la végétation avance sur la mer et la fait reculer.

Que cultive-t-on à Madagascar ?

Madagascar regorge de fruits tropicaux comme les mangues, les papayes, les litchis... La noix de coco est aussi très répandue. On cultive également à Madagascar du café, de la vanille et des clous de girofle.

Quelle est la flore de Madagascar ?

Malgré une grande déforestation, Madagascar abrite encore une flore extraordinaire. On y trouve plus de mille variétés d'orchidées.
On rencontre aussi de grands arbres comme les baobabs ou les tamariniers.
Enfin, il existe à Madagascar une multitude de plantes médicinales.

Quelle musique écoute-t-on à Madagascar ?

Le *salegy* est la forme musicale la plus répandue à Madagascar.
Deux instruments marquent la musique malgache : la *valiha* qui est un instrument à corde et le *gorodao* qui est un accordéon.

Tes notes

Page-indices

Menace sur Madagascar

du CE1 au CE2

Note ci-dessous les indices que tu as trouvés au cours de ta lecture.

Va vite te connecter sur le site

www.lenigme.com

pour nous envoyer tes indices, et tu pourras télécharger plein de cadeaux !

INDICE 1 Il travaille sur un projet révolutionnaire

INDICE 2 ....

INDICE 3 ....

INDICE 4 ....

INDICE 5 ....

INDICE 6 ....

Bravo ! Tu as trouvé tous les indices !

Table des matières

Crédits photographiques :

Pages : 12 © Simone Van den Berg / Shutterstock ; 16 © Martin Strmiska / Shutterstock ; 17 D.R. ; 20 © Dwight Lyman / Shutterstock ; 28 © Muriel Lasure / Shutterstock ; 35 © Holger Wulschlaeger / Shutterstock ; 46 © Christophe Villedieu / Shutterstock ; 57 © Natalia Simjushima & Eugeniy Meyke / Shutterstock ; 71 © Muriel Lasure / Shutterstock.

N° d'éditeur : 10252475 – Linéale – Mars 2019 – imprimé en Italie par BONA

Choisis ton univers !

Historique | FANTASTIQUE | Policier | Aventure | FRISSON | Princesse

du CP au CE1

- Le voleur invisible
- Sophia, princesse de la mer
- Le mystère de la source
- Disparition au pays des poneys
- Panique chez les pandas

du CE1 au CE2

- La peur au bout de la laisse
- Mystère au cirque Alzared
- Attention ! Dauphins en danger
- Pas si désert que ça !
- Menace sur Madagascar
- Pirates en péril !

du CE2 au CM1

- Le labyrinthe des dragons
- Les fantômes de Glamorgan
- La plage du Prince Blanc
- Le phare de la peur
- Montagne explosive !
- Menaces sur la finale de foot
- Planète dinosaures

du CM1 au CM2

- Le voleur de papyrus
- Le secret de la jungle
- Le sortilège des loups-garous
- Parfum de vacances
- La carrière interdite
- Mystère dans le bush australien
- Drôles d'époques ! 7 HISTOIRES

du CM2 à la 6e

- Le trésor des Templiers
- Panique à la Pop Academy
- La forêt de l'épouvante
- À la recherche de la cité perdue
- Eaux troubles à Venise
- Drôles de familles ! 7 HISTOIRES

de la 6e à la 5e

- Le secret du Titanic
- Drôle de trafic
- Complot chez les cordons-bleus
- The Refuge in Danger (en anglais)

de la 5e à la 4e

- Operation Blue Lagoon (en anglais)
- Chute mortelle au Mont-Saint-Michel
- The Captain is Missing! (en anglais)
- Le souffle de l'ange

de la 4e à la 3e

- Murder in West Park (en anglais)
- The Mark of the Vampire (en anglais)
- The Wizards' Night (en anglais)

Histoire à podcaster sur le site www.lenigme.com

Retrouve-nous sur le si[te]
www.lenigme.com